J'AI FAILLI Y LAISSER MON ÂME

Édition : Liette Mercier
Infographie : Johanne Lemay
Correction : Brigitte Lépine et Caroline Hugny

Catalogage avant publication de Bibliothèque et Archives nationales du Québec et Bibliothèque et Archives Canada

Dufour, Daniel, 1951-

J'ai failli y laisser mon âme : survivre à la guerre et au trouble de stress post-traumatique

ISBN 978-2-7619-4626-1

1. Dufour, Daniel, 1951- . 2. État de stress post-traumatique. 3. Médecins - Suisse - Biographies. I. Titre.

R566.D83A3 2016   610.92   C2015-942643-X

DISTRIBUTEURS EXCLUSIFS :

Pour le Canada et les États-Unis :
MESSAGERIES ADP inc.*
2315, rue de la Province
Longueuil, Québec J4G 1G4
Téléphone : 450-640-1237
Télécopieur : 450-674-6237
Internet : www.messageries-adp.com
* filiale du Groupe Sogides inc.,
  filiale de Québecor Média inc.

Pour la France et les autres pays :
INTERFORUM editis
Immeuble Paryseine, 3, allée de la Seine
94854 Ivry CEDEX
Téléphone : 33 (0) 1 49 59 11 56/91
Télécopieur : 33 (0) 1 49 59 11 33
Service commandes France Métropolitaine
Téléphone : 33 (0) 2 38 32 71 00
Télécopieur : 33 (0) 2 38 32 71 28
Internet : www.interforum.fr
Service commandes Export – DOM-TOM
Télécopieur : 33 (0) 2 38 32 78 86
Internet : www.interforum.fr
Courriel : cdes-export@interforum.fr

Pour la Suisse :
INTERFORUM editis SUISSE
Route André Piller 33A, 1762 Givisiez – Suisse
Téléphone : 41 (0) 26 460 80 60
Télécopieur : 41 (0) 26 460 80 68
Internet : www.interforumsuisse.ch
Courriel : office@interforumsuisse.ch
Distributeur : OLF S.A.
ZI. 3, Corminboeuf
Route André Piller 33A, 1762 Givisiez – Suisse
Commandes :
Téléphone : 41 (0) 26 467 53 33
Télécopieur : 41 (0) 26 467 54 66
Internet : www.olf.ch
Courriel : information@olf.ch

Pour la Belgique et le Luxembourg :
INTERFORUM BENELUX S.A.
Fond Jean-Pâques, 6
B-1348 Louvain-La-Neuve
Téléphone : 32 (0) 10 42 03 20
Télécopieur : 32 (0) 10 41 20 24
Internet : www.interforum.be
Courriel : info@interforum.be

02-16

Dépôt légal : 2016
Bibliothèque et Archives nationales du Québec

ISBN 978-2-7619-4626-1

Gouvernement du Québec – Programme de crédit d'impôt pour l'édition de livres – Gestion SODEC
www.sodec.gouv.qc.ca

L'Éditeur bénéficie du soutien de la Société de développement des entreprises culturelles du Québec pour son programme d'édition.

Conseil des Arts   Canada Council
du Canada   for the Arts

Nous remercions le Conseil des Arts du Canada de l'aide accordée à notre programme de publication.

Nous reconnaissons l'aide financière du gouvernement du Canada par l'entremise du Fonds du livre du Canada pour nos activités d'édition.

Dᴿ DANIEL DUFOUR

J'AI FAILLI
Y LAISSER
MON ÂME

Survivre à la guerre
et au trouble de stress
post-traumatique

LES ÉDITIONS DE L'HOMME
Une société de Québecor Média

À mes enfants, Marie, Cécile et Laurent,
comme preuve d'amour et en guise d'explication.
À Louis, Peter, Renaud et Philippe,
pour leur amitié et leur soutien indéfectible.
À Pierre et Liette, qui m'ont poussé à aller plus loin.
À tous ces enfants dont le regard a croisé le mien
et qui m'ont transformé à jamais.

*Vos croyances engendrent vos pensées, vos pensées engendrent
vos paroles, vos paroles engendrent vos gestes, vos gestes
engendrent vos habitudes, vos habitudes engendrent vos valeurs,
et vos valeurs engendrent votre destin.*

MAHATMA GANDHI

Introduction

J'ai fortement hésité avant de me décider à écrire ce livre. En effet, m'exposer et décrire ce dont j'ai souffert n'est pas une partie de plaisir ni une tendance chez moi. Ma décision fait suite à un long cheminement qui m'a conduit, après plus de 30 années, à «sortir du bois», comme on dit.

En 2015, j'ai entrepris d'écrire un ouvrage sur le trouble de stress post-traumatique (TSPT ou *PTSD* en anglais pour *Post-Traumatic Stress Disorder*) et sur une approche innovante et efficace pouvant aider à guérir ceux qui en souffrent. Pour introduire l'ouvrage, j'ai souhaité présenter brièvement ma propre expérience, d'une part pour établir que le TSPT et ses conséquences ne m'étaient pas étrangers, et, d'autre part, parce que je croyais que mon vécu pouvait aider les lecteurs à comprendre comment ce trouble apparaît et s'installe chez le traumatisé. Constatant que les mots venaient plus facilement que je ne l'avais imaginé, et voyant les pages s'accumuler, j'ai compris que je n'en avais pas encore terminé avec une certaine partie de ma vie… J'ai donc choisi d'aller au bout de l'expérience et d'écrire sur les événements particuliers que j'ai vécus à titre de chirurgien, puis de médecin de guerre.

Pourquoi avoir attendu 30 longues années ? La réponse à cette question est complexe. J'ai reçu une éducation où la pudeur est valorisée et selon laquelle on ne doit pas se mettre en avant, car il faut être au service des autres, lesquels sont plus importants que soi. Par conséquent, je garde ma souffrance pour moi quand elle se présente, puisque, d'une part, je sais que je suis seul à pouvoir y mettre fin, et, d'autre part, mon ego m'incite à montrer une image de moi qui n'est pas forcément la vraie. Enfin, en tant que médecin, j'ai longtemps cru que je ne pouvais me montrer malade ou souffrant, car cela risquait de faire mauvaise impression auprès de mes patients.

N'étant pas loin de la fin de ma carrière en tant que médecin consultant, il m'est plus facile aujourd'hui de parler de ce qui m'a fait souffrir pendant de nombreuses années. Une plus grande confiance m'habite, ce qui en étonnera certains en raison de l'assurance que j'ai pu sembler dégager par le passé. Avec le temps, j'ai fini par accepter ma grande sensibilité que j'ai trop longtemps considérée comme une « fragilité »…

Un dernier élément, capital, m'a décidé à écrire ce livre : je n'apprécie guère les personnes qui parlent d'un sujet qu'elles ne connaissent pas en profondeur. Il m'a semblé que le fait de partager mon expérience des effets dévastateurs du TSPT et de présenter un cheminement personnel vers la guérison pourrait donner espoir aux personnes victimes de traumatismes causés par la violence (sexuelle ou autre), un accident, une catastrophe naturelle ou la guerre, à toutes celles qui travaillent en première ligne dans les services sociaux et qui sont exposées à des récits sordides d'agressions sexuelles ou de traitements dégradants, à celles aussi qui œuvrent dans l'urgence ou sur des terrains difficiles, par exemple les soldats, les urgentistes, les pompiers, les policiers, les agents de détention, les conducteurs de train, les ambulanciers, les travailleurs de l'humanitaire… En bref, à tous ces gens qui souffrent profondément, et en silence, de cette pathologie encore peu connue.

Le TSPT est une entité médicale qui définit les troubles pouvant survenir chez une personne exposée directement ou indirectement à un traumatisme. Cela signifie que la personne peut avoir elle-même subi le traumatisme, ou en avoir été témoin, ou avoir recueilli des informations sur les traumatismes des autres. D'après les estimations actuelles, la situation serait alarmante. Selon certaines sources, une personne sur dix souffrirait de TSPT dans le monde. Bien entendu, chaque personne exposée à un choc traumatique ne souffrira pas automatiquement de TSPT.

Cette entité médicale est reconnue depuis peu comme un trouble à part entière, ce qui explique que le TSPT est encore sous-diagnostiqué. Résultat : dans nos sociétés, de très nombreuses personnes souffrent énormément sans même savoir quoi faire de leurs maux, puisque ceux-ci ne sont pas reconnus, ce qui aggrave leur désarroi. Privées de toute aide, ces personnes sont à risque : elles peuvent imploser et tomber gravement malades sur les plans physique ou psychique, ou exploser, avec tous les excès de violence que cela comporte.

Ce livre n'est pas une autobiographie au sens classique du terme. Ce n'est pas non plus un récit historique, même si j'ai affronté la guerre et vécu certains événements qui ont été fort médiatisés en leur temps. Les postes que j'ai occupés et les organismes pour lesquels j'ai œuvré m'obligent en effet à une certaine discrétion. Par respect pour les membres de ma famille, j'ai fait preuve d'une grande retenue dans les passages les concernant. Je ne souhaite pas minimiser l'importance de leur présence dans ma vie, mais, dans la mesure du possible, je veux leur éviter de revivre de mauvais souvenirs.

Je rends toutefois compte de certains épisodes choisis afin de montrer par quels faits marquants le TSPT s'est installé dans ma vie quotidienne. J'expose comment j'ai été atteint par ce trouble, alors que le diagnostic n'existait pas formellement et que certains symptômes étaient encore perçus comme des signes de faiblesse.

Le but de ce livre est de sensibiliser la société au TSPT, et, surtout, de dire à haute et intelligible voix que l'espoir est permis et que l'on peut en guérir, quelle que soit l'ampleur des traumatismes en cause.

CHAPITRE 1

Métier : chirurgien

Dès l'âge de sept ans, j'ai su que je voulais devenir médecin. Pourtant, dans ma famille, personne ne travaillait dans ce domaine. Mes parents résidaient en France, à Lyon, mais nous étions suisses. Mon père, qui désirait que je travaille avec lui dans l'industrie du papier et qui n'aimait pas beaucoup les gens de médecine, a tenté pendant des années, sans y parvenir, de me faire renoncer à cette profession qui me tenait à cœur. J'étais par contre soutenu par ma mère, beaucoup plus ouverte à la possibilité que je devienne médecin.

Dans les années 1960, un étranger vivant en France avait la possibilité d'y étudier la médecine, mais il ne pouvait s'installer à son compte s'il n'acquérait pas la nationalité française. J'aurais donc pu devenir français, mais j'ai toujours refusé cette possibilité, pour des raisons que je ne peux encore à ce jour expliquer. Étant suisse et de père genevois, je désirais le demeurer, d'autant plus qu'au collège de jésuites où je poursuivais mes études secondaires, j'étais parfois chahuté, pour ne pas dire victime d'un certain ostracisme rampant. On me traitait de «sale Suisse». Ayant déjà un esprit assez indépendant, ces insultes ont renforcé mon désir de ne pas prendre une autre nationalité.

Il m'était possible de passer mon baccalauréat en France, mais je devais, pour pouvoir pratiquer un jour la médecine en Suisse, me présenter par la suite à un examen, réputé fort difficile, pour obtenir l'équivalence. À l'époque, ma famille a jugé que je devais me faire des amis suisses dès le secondaire, pour que je sois moins perdu lorsque j'entrerais à la faculté de médecine. C'est ainsi que mes parents m'ont proposé, à l'âge de 13 ans, d'aller terminer mes études secondaires à Genève et d'y passer la maturité (l'équivalent du baccalauréat en France et du diplôme d'études collégiales au Québec), diplôme qui permet d'intégrer la faculté de médecine.

Après avoir obtenu ma maturité, j'ai entamé mes études de médecine à Genève. J'ai détesté cette période : pendant les trois ou quatre premières années, tout n'était que bourrage de crâne et théorie. J'ai beaucoup skié et joué au tennis à cette époque, ce qui n'a pas été d'un grand soutien lorsque je me suis présenté à mes examens, que j'ai brillamment ratés, au grand désespoir de mes parents ! Malgré mon aversion, je me suis accroché et, parvenu à la moitié du cursus, j'ai enfin pu entrer en contact avec des patients. Et j'ai compris pourquoi je désirais tant devenir médecin : cela me permettait de rencontrer des personnes souffrantes qui avaient besoin d'aide. La médecine n'était pas une science exacte, froide et arrogante, mais une façon d'approcher l'être humain et de le servir avec chaleur, humilité et amour. J'avais eu raison de travailler, sans trop savoir pourquoi, des matières inintéressantes à mes yeux.

Cette façon de voir les choses s'est confirmée lors des stages que j'ai effectués en cours de formation. J'ai eu la chance d'y rencontrer deux professeurs d'une humanité exceptionnelle. Je les ai beaucoup admirés et ils ont eu une grande influence sur moi, notamment sur le choix de ma spécialisation. J'ai dû aussi travailler dans certains services dirigés par des professeurs ou des chefs de clinique imbus d'eux-mêmes, glaciaux et distants, toujours sûrs d'avoir raison. Leur attitude et leur comportement m'ont dégoûté de plusieurs spécialités qui m'intéressaient pourtant au départ.

Cette attirance n'a malheureusement pas résisté au déplaisir que j'éprouvais à travailler sous les ordres de scientifiques incapables de psychologie ou d'entregent.

Un jour, pendant mes études, on m'a découvert une tumeur bénigne à l'aine, et je me suis rendu à Lyon pour qu'un chirurgien que je connaissais procède à l'opération. Ami de mes parents, cet homme était professeur de chirurgie oncologique dans un grand centre pour cancéreux. J'avais confiance en lui, et son humour grinçant me le rendait fort sympathique. Tôt un matin, il m'a emmené en auto à la clinique où il opérait ses patients privés. En route, il m'a demandé à brûle-pourpoint : « Que désires-tu faire, comme spécialité ? » Je lui ai répondu : « Tout, sauf la chirurgie ! » Après un silence, il m'a demandé pourquoi, alors je me suis lancé dans de grandes explications, lui disant que je n'avais pas une très grande habileté manuelle, ce qui m'interdisait certainement la chirurgie. Il a alors dit des choses qui m'ont marqué et convaincu que j'avais tort de mettre cette éventualité de côté : « En chirurgie, tout geste est appris et répété. Je me suis exercé pendant de très nombreuses heures à faire des points de suture et des nœuds. Tu es rapide et tu as une forte personnalité, ce qui est important à mes yeux pour devenir un bon chirurgien. Tu pourrais parfaitement faire de la chirurgie, si tu le désirais, bien évidemment. » Ces quelques mots ont longuement résonné en moi au cours des mois qui ont suivi.

Un jour, dans les couloirs de l'hôpital à Genève, j'ai rencontré par hasard – mais le hasard existe-t-il vraiment ? – un chef de clinique du service d'orthopédie et traumatologie. Celui-ci m'a demandé si je désirais faire un remplacement d'une durée de deux mois dans son unité. Comme je n'avais pas encore passé mes examens finaux de médecine, j'ai reçu cette demande comme un grand honneur. J'avais énormément de respect pour le professeur qui dirigeait le service, car il était non seulement un brillant chirurgien, mais aussi un homme plein de bon sens et de respect pour ses patients. Et puis, comme il était aussi biologiste marin, il passait ses vacances à sillonner les mers, ce qui faisait de lui un être passionnant, ouvert à d'autres choses que la médecine, doté d'un grand sens de l'observation et d'une personnalité forte et directe. J'ai immédiatement accepté la proposition et me suis retrouvé en chirurgie orthopédique et traumatologique.

J'ai été très bien accueilli par toute l'équipe de ce service, et jamais aucun des chirurgiens ou des chefs de clinique ne s'est permis de me traiter de junior sans expérience, alors que c'était pourtant ce que j'étais. Bien au contraire, ils ont tout fait pour que je progresse le plus vite possible dans une ambiance bon enfant, et ils se sont beaucoup dévoués en tant qu'enseignants. Ils étaient à l'image de celui qui dirigeait de main de maître l'orthopédie et la traumatologie, qui ne tolérait pas les gros ego et ne les recrutait donc pas. Une telle attitude n'était pas dans le ton de certains autres services de cet hôpital.

Grâce à ce remplacement de plusieurs mois dans cette unité, mon intérêt pour la chirurgie a fortement grandi. C'est alors que j'ai envisagé de choisir cette spécialisation. J'ai fait ensuite un stage de chirurgie oncologique en tant qu'interne dans le service du professeur qui m'avait opéré de la tumeur bénigne à l'aine. C'est ainsi que, grâce aux interventions de deux remarquables enseignants, j'ai choisi la chirurgie. Mon avenir était tracé, en accord avec le professeur de chirurgie orthopédique et traumatologique. Je me voyais déjà installé confortablement, menant une vie intéressante mais pas très mouvementée…

CHAPITRE 2

Changement de cap

À la fin de mes études, j'ai été embauché à titre d'assistant en chirurgie dans le service d'orthopédie-traumatologie de l'hôpital universitaire de Genève. Je venais de rencontrer Marie, ma future épouse ; nous envisagions de vivre ensemble sous peu. Mon travail, qui me plaisait beaucoup, occupait une grande partie de mon temps. Je me sentais privilégié, car j'exerçais la profession de mon choix et n'éprouvais aucune difficulté dans les autres domaines de ma vie. Comme je l'avais envisagé, je menais une existence tout à fait « normale », sans grand imprévu.

À l'âge de 28 ans, en 1979, je suis allé rendre visite à un de mes meilleurs amis qui résidait dans un pays d'Afrique alors appelé Rhodésie-Zimbabwe. Or, ce pays était en pleine guerre civile. Le conflit opposait la minorité blanche, qui détenait le pouvoir, et les groupes de libération qui voulaient rendre le pays à la majorité noire. La Rhodésie-Zimbabwe appliquait l'apartheid comme système politique et sociétal, à l'exemple de son voisin, l'Afrique du Sud. La Rhodésie-Zimbabwe était alors sous le coup de graves sanctions économiques de la part de la communauté internationale qui jugeait l'apartheid dégradant pour la majorité noire. Je m'y suis rendu seul, vu l'insécurité qui y régnait. Il était prévu que je rejoigne ensuite Marie et sa fille à l'île Maurice, où elles étaient en vacances.

Le soir de mon arrivée, j'ai rencontré Georges, un professeur de chirurgie rhodésien. Celui-ci m'a proposé d'aller visiter avec lui le lendemain le plus grand hôpital pour les Noirs de la capitale, Salisbury. Cet établissement possédait 500 lits, mais était totalement surpeuplé à cause de la guerre et de la famine qui sévissaient dans certaines parties du pays.

Cette journée a constitué un tournant dans ma vie personnelle et professionnelle. Sans y être préparé, je me suis retrouvé devant des enfants couchés à quatre dans un lit double et atteints de marasme ou de kwashiorkor, deux maladies dues à la famine. Je n'avais jamais vu d'enfants souffrant de malnutrition, et cela a été un immense choc. Ces visages émaciés étaient bouleversants ; ces yeux grands ouverts semblaient me fixer de façon intense et profonde. Ils ne souriaient pas. Une souffrance silencieuse et un hébétement totalement inhabituel chez de jeunes enfants se dégageaient d'eux. Ces tout jeunes visages exprimaient une demande claire : « Fais quelque chose pour moi ! » C'était difficilement supportable pour n'importe qui, mais plus encore pour un médecin... Ces enfants avaient très peu de chances de survie, je le savais.

Je me rappelle être resté tétanisé, sans voix, presque effrayé devant eux. Certains gémissaient, mais la plupart étaient incapables de bouger et me fixaient de leurs yeux immenses. J'ai ressenti une tristesse suffocante, un profond sentiment d'inutilité et de gâchis. Georges a respecté mon silence, puis m'a expliqué que la seule chose à faire était de les hydrater en espérant qu'ils survivraient, mais que leurs chances étaient à peu près nulles. Les problèmes financiers étaient tels que les quelques rares autres traitements qui auraient pu aider ces enfants n'étaient pas disponibles dans ce pays. Georges m'a expliqué que les enfants hospitalisés étaient ceux qui pouvaient espérer survivre, alors que tous les autres étaient renvoyés à la maison, où ils mourraient. La décision de les garder ou non à l'hôpital était prise lors d'un triage aux urgences. Sur le moment, je n'ai rien compris à ce que Georges tentait de m'expliquer. J'étais trop bouleversé.

Sans transition, il m'a emmené au service de chirurgie générale et d'urologie afin de me présenter ses patients. Ceux-ci se trouvaient dans des salles communes de 35 à 40 lits, ce que je voyais pour la première fois de ma vie. En Suisse, ce type de salles n'existait plus. Les lits étaient serrés les uns contre les autres et les patients étaient pour la plupart allongés, sans aucune intimité. Il régnait là un bruit intense et l'on éprouvait une chaleur lourde malgré les fenêtres grandes ouvertes. Des mouches et autres insectes volaient un peu partout. Habitué des salles de chirurgie à flux laminaire, dans un hôpital d'une rigoureuse propreté où tout était conçu pour préserver au maximum le patient d'une quelconque infection, j'étais sans voix devant ce spectacle ubuesque à mes yeux d'Occidental né dans un pays riche.

Alors que je faisais la tournée des patients avec Georges, mon regard a été attiré par une jeune fille qui tenait un bras à la hauteur de son visage en essayant péniblement de manger sa soupe. Je ne comprenais pas pourquoi elle ne baissait pas le bras, ce qui lui aurait facilité la tâche. Distrait par ce curieux spectacle, je n'écoutais plus Georges qui m'expliquait les pathologies de ses patients et les opérations qu'ils avaient subies ou se préparaient à subir. Je fixais des yeux cette adolescente et essayais de comprendre pourquoi elle se donnait tant de mal pour manger de cette façon. À chaque cuillérée, une partie de la soupe retombait dans le bol. Lorsque nous sommes arrivés devant elle, Georges m'a dit qu'elle avait été torturée par les « terroristes » (c'est ainsi que les Blancs appelaient ceux qu'ils combattaient) qui lui avaient tranché les lèvres, le nez et la langue à la machette. On avait fait une greffe pour reconstituer ses lèvres avec la peau d'un bras, mais pour l'instant le bras et le visage demeuraient liés l'un à l'autre, en attendant qu'on coupe la peau, ce qui expliquait sa façon de manger sa soupe.

Cette jeune fille avait 12 ans. Ses yeux lui mangeaient le visage. Je lui ai souri afin de cacher mon embarras. Je ressentais à la fois de la honte d'être témoin de tels sévices, de la rage envers les tortionnaires, et, surtout, une incompréhension absolue de la violence gratuite imposée à une adolescente inoffensive. Je n'avais jusque-là jamais été confronté à la torture. Je travaillais dans un hôpital aseptisé, et les pires choses que j'avais vues n'étaient en rien comparables à ce que je voyais dans ce lieu, à l'autre bout du monde. Frappé de plein fouet par des réalités aux antipodes de celles qui m'étaient familières, je me rendais subitement compte que j'avais été préservé de beaucoup de souffrances dans mon pays… En théorie, je savais tout cela, mais le regard de cette jeune fille me permettait d'en prendre véritablement conscience dans ma chair.

D'origine irlandaise et grecque, ce qui expliquait son tempérament explosif, Georges avait fait ses études en Grande-Bretagne, puis avait émigré en Rhodésie-Zimbabwe avec son titre de professeur en poche. Installé là-bas depuis une quinzaine d'années, il était responsable de l'unité de chirurgie générale, mais s'occupait aussi de l'urologie dans l'hôpital. Il m'a alors demandé si je souhaitais l'assister dans les interventions chirurgicales du jour. J'ai répondu oui et il m'a emmené avec lui. Au moment où nous avons pénétré dans la salle d'opération, Georges a demandé que l'on prenne le revolver qu'il portait sur lui et qu'on le dépose à proximité du champ opératoire. Devant mon regard incrédule, il a ri et m'a expliqué que tous les Blancs portaient une arme de poing, au cas où ils auraient besoin de se défendre. Je n'ai pas eu le temps de réagir, car Georges était déjà prêt à commencer sa première intervention.

Nous étions dans une salle d'opération aux fenêtres grandes ouvertes, où les climatiseurs brillaient par leur absence. L'air circulait peu, il faisait très chaud, et, comme dans les salles communes, les mouches, les papillons et une multitude d'autres insectes voletaient ou se posaient près du champ opératoire. Georges m'a demandé d'écraser du coude ces bestioles. Comme je ne voyais pas très bien ce qu'il voulait que je fasse, il s'est mis à le faire à ma place, pour m'expliquer! Je croyais rêver, mais nous étions bel et bien en train d'opérer un patient...

J'ai assisté Georges pendant toute cette journée. Il a été à la fois très humain et brillant dans sa façon de pratiquer une chirurgie simple avec des moyens limités, tant sur le plan du matériel chirurgical que des aménagements de l'hôpital. Il m'expliquait tous ses gestes opératoires et se révélait très bon enseignant. En même temps, mine de rien, il testait mes capacités et mes connaissances. Nous avons pratiqué huit opérations, dont une, majeure, pour un problème que l'on rencontre rarement en Europe, mais qui est fréquent en Afrique : un volvulus du côlon (l'intestin s'enroule sur lui-même et se nécrose). Georges travaillait efficacement et avec une grande célérité, parfaitement soutenu par un personnel noir d'excellente qualité.

À la fin de la journée, en sortant de l'hôpital, il a lancé de but en blanc quelques mots qui ont profondément changé ma vie : «Quand viens-tu nous rejoindre ? Ici, on a besoin de types comme toi, et dès maintenant ! » J'ai tenté de lui expliquer que je ne pouvais pas, car mes places dans divers services de chirurgie étaient réservées chez moi. Je ne me voyais pas quitter la Suisse pour aller pratiquer dans un pays inconnu et instable. Je ne sais plus quelles autres raisons j'ai pu invoquer, mais Georges a balayé mes arguments du revers de la main et a répété sa question, pressentant déjà que j'allais revenir dans ce pays où l'on manquait cruellement de tout, y compris de chirurgiens. Puis, il a prononcé une phrase qui s'est imprimée au fer rouge dans mon esprit : « Ici, on assiste une fois à une opération, on la pratique une fois, et ensuite on l'enseigne. »

Le retour chez mon ami a été bien silencieux. J'étais totalement bouleversé par ce que j'avais vécu au cours de cette longue journée. Les yeux vides des enfants dénutris, la jeune fille torturée, incapable de manger sa soupe, les salles communes bondées, le revolver à portée de main et les papillons dans la salle d'opération se télescopaient dans mon esprit. J'étais en colère contre ce monde injuste qui infligeait de telles horreurs à des êtres impuissants. Je ressentais en même temps un immense vide dans lequel j'avais l'impression de me noyer. Au fond de moi, je savais déjà que j'allais revenir au plus vite…

Ma raison me dictait qu'une telle pensée n'était pas sensée, que je serais incapable de résister à la cruauté de ce nouveau monde et d'être à la hauteur de la tâche. Je m'interrogeais, aussi : Marie accepterait-elle un tel changement de cap ? Me suivrait-elle dans cette aventure avec sa fille de six ans, prénommée elle aussi Marie, alors même que je m'étais opposé à ce qu'elles m'accompagnent en Rhodésie-Zimbabwe pour des raisons de sécurité ?

Toutes ces pensées m'ont habité le cœur et l'esprit pendant les 15 jours où je suis resté là-bas. J'ai occupé mes heures à voyager, à découvrir une faune et une flore magnifiques, profitant du fait d'être un des rares touristes dans ce pays ravagé par la guerre, mais si calme et beau dès qu'on se retrouvait dans la nature.

À la fin de ce séjour chez mon ami et sa famille, ma décision était prise : je souhaitais revenir dans ce pays, où les besoins étaient criants, pour y exercer mon métier de chirurgien. C'était ce que je désirais au plus profond de moi-même. Je sentais que j'y serais beaucoup plus utile qu'en Suisse, où l'opulence régnait et où il y avait pléthore de jeunes chirurgiens.

En arrivant à l'île Maurice, j'avais l'air préoccupé. Voyant cela, Marie m'a demandé la cause de mon trouble. Après que je lui ai expliqué mon dilemme, elle a simplement eu cette magnifique réplique : « Quand partons-nous ? » Cette marque de confiance et d'amour m'a soulagé d'un grand poids.

Une fois rentré à Genève, j'ai annoncé à mon professeur de chirurgie orthopédique que je souhaitais partir un an en Afrique et que je ne pourrais donc faire partie de ses effectifs, comme il était prévu. De nouveau, il a eu une très belle réaction. Il a acquiescé à ma demande, mais a assorti sa réponse d'une remarque prémonitoire : « Tes postes te sont réservés ici, mais ne pars pas plus d'un an, sinon tu serais incapable de poursuivre une carrière hospitalière classique. »

Quelques mois plus tard, je repartais en Rhodésie-Zimbabwe avec celle qui, entre-temps, était devenue mon épouse, et la petite Marie.

CHAPITRE 3

Découverte de la chirurgie de guerre en Rhodésie-Zimbabwe

Pendant mes trois premiers mois en Rhodésie-Zimbabwe, j'ai travaillé comme chirurgien au Harare Hospital, à Salisbury. On m'a par la suite promu chef de clinique sous les ordres de Georges. Cet hôpital pour Noirs contenait 500 lits, mais en réalité on y soignait plus de 650 patients. Notre service de chirurgie générale et urologie accueillait environ 150 patients, ce qui occasionnait beaucoup de travail.

Les groupes de libération, qui s'autoproclamaient *Freedom Fighters*, avaient leurs bases dans les pays voisins, le Mozambique, la Zambie et le Botswana. La guerre faisait rage entre ces groupes et l'armée régulière du pays, et l'on déplorait de très nombreuses victimes, notamment parmi les civils. Les mines antipersonnel et antivéhicules faisaient des dégâts considérables. De plus, la malnutrition était répandue, principalement chez les enfants, car les cultures des paysans noirs étaient dévastées par la guerre. Les grandes fermes des Blancs étaient préservées, mais l'économie se portait très mal à cause des sanctions imposées par les pays occidentaux en représailles à l'apartheid, et le peuple entier souffrait, principalement la population noire.

La nuit, nous n'étions que dix médecins dans tout l'hôpital. Une nuit sur trois, nous devions assumer une garde. De plus, j'étais chargé de donner des cours aux infirmiers en formation, et, sous les ordres de Georges, j'étais responsable de la cinquantaine de patients de l'hôpital pour

Blancs de la ville. L'ambiance de travail était bonne et l'entente, excellente avec le personnel infirmier noir ainsi qu'avec mes collègues africains. Mais j'étais blanc et, en raison du système sociétal en vigueur, j'étais, aux yeux des Africains, « de l'autre côté de la barrière ». Cela me causait parfois des problèmes relationnels. Les infirmières, par exemple, avaient tendance à me laisser me dépatouiller avec les soins et les prises de sang. En effet, dans le système anglo-saxon, les médecins sont censés prendre le sang aux patients pour les analyses, ce qui n'est pas le cas dans les systèmes suisse et français. J'ai ainsi dû apprendre très vite à le faire, et ensuite j'ai pu demander aux infirmières de le faire à ma place.

Georges m'a appris à poser des perfusions à des enfants souffrant de marasme, à diagnostiquer des fractures sans l'aide de la radiologie (ce service n'était plus offert à l'hôpital à cause des sanctions économiques) et à traiter les opérés avec deux antibiotiques seulement, car nous en manquions cruellement. Mais surtout, surtout, il m'a appris la chirurgie de guerre, dont les règles sont fort différentes de celles qu'on applique dans la vie civile.

Je ne donnerai pas ici un cours de chirurgie de guerre, mais il est important d'en énumérer quelques notions pour que le lecteur comprenne mieux ce qu'on peut vivre lorsqu'on exerce ces fonctions. La chirurgie de guerre se distingue essentiellement de la chirurgie classique par l'urgence qui prédomine. Les traitements y sont donc différents et beaucoup plus radicaux, notamment quant aux blessures aux membres. De ce fait, le chirurgien doit pratiquer de plus nombreuses amputations qu'il ne le ferait en temps de paix.

Le plus souvent, le personnel chirurgical est limité et inférieur à celui disponible en temps de paix. Par conséquent, il faut fréquemment effectuer un triage. Celui-ci est confié au chirurgien le plus expérimenté. C'est lui qui a la lourde tâche de séparer les blessés en trois catégories : les blessés inopérables ou qui sont dans un état désespéré ; ceux qui, grâce à un traitement opératoire, auront de bonnes chances de survie (mais dont le cas doit être constamment réévalué en fonction du nombre d'équipes chirurgicales disponibles et du temps que ces dernières mettent pour opérer) ; et ceux qui peuvent attendre la fin de la situation d'urgence avant d'être opérés. La durée du transport des blessés et les conditions dans lesquelles il s'effectue peuvent compliquer l'évaluation. Ce triage doit être fait de la façon la plus professionnelle possible, avec rapidité et précision.

En d'autres termes, le chirurgien a droit de vie ou de mort sur les blessés qu'on lui amène. Il va sans dire que c'est une très lourde responsabilité à porter. Ajoutons que ce travail s'effectue souvent dans des circonstances difficiles, près des champs de bataille, sous les bombes ou les missiles, ou quand les blessés sont portés par leurs amis, leur famille, ou par les combattants de leur unité. La présence des proches ajoute à la tension, car, bien évidemment, ceux-ci désirent que la personne blessée soit prise en charge immédiatement.

Le triage peut durer de nombreuses heures, voire plusieurs jours et plusieurs nuits, selon le lieu et les combats qui s'y déroulent. Toutefois, le responsable du triage ressent peu la fatigue physique, à cause de l'adrénaline. En effet, cette tâche requiert une concentration intense. On ne peut être ailleurs que dans le moment présent, en pleine possession de ses capacités de réflexion, pour prendre les décisions dont dépend la survie du plus grand nombre possible de blessés.

Georges m'a initié aux règles du triage chirurgical, puisque ce n'est pas une chose qu'on enseigne à l'université. Il m'a appris que les blessés les plus graves exigent de longues interventions chirurgicales qui, au bout du compte, ne leur donnent que peu de chances de survie. Ce temps peut être employé plus utilement par la prise en charge de personnes atteintes moins sévèrement, dont la survie dépend d'une opération moins lourde et moins longue.

La méthode est simple, en théorie du moins. Un blessé grave ayant, dès le départ, toutes les chances de mourir, peut mobiliser une équipe chirurgicale pendant quatre heures, par exemple. Au cours de ces quatre heures, d'autres blessés atteints moins gravement verront leur état se dégrader et leurs chances de survie diminueront, même si on finit par les opérer. Par conséquent, il vaut mieux «condamner» sans délai la personne grièvement blessée afin d'opérer deux blessés dont l'état est jugé moins sérieux. Ce choix semble tomber sous le sens, mais il est beaucoup plus difficile à faire lorsqu'on doit regarder dans les yeux la personne qu'on abandonne à une mort certaine. Et quand il se répète un nombre incalculable de fois en peu de temps…

Pour effectuer efficacement le triage, le chirurgien doit avoir une excellente connaissance des types de blessures que provoquent les mines, les balles, les obus et toutes les armes utilisées par les combattants. En effet, ces blessures présentent toutes des caractéristiques différentes. Celles causées par des mines et des éclats d'obus, par exemple, occasionnent des lésions tissulaires profondes et étendues qui entraînent des gangrènes et le décès du blessé si elles ne sont pas traitées correctement. Cela dit, les risques d'infection sont très grands, même si la destruction des tissus n'est pas visible à l'œil nu. C'est d'ailleurs l'une des raisons qui expliquent que le taux d'amputation est beaucoup plus élevé en chirurgie de guerre qu'en temps de paix.

Nous devions aussi trier les enfants dénutris qui arrivaient aux urgences le plus souvent avec leur mère, après un voyage de plusieurs jours. Dans de tels cas, nous nous heurtions à un autre type de problème, culturel cette fois. Quand nous décidions de garder l'enfant, après avoir évalué ses chances de survie, la mère repartait dans son village avec lui pour demander à l'ancêtre (la personne qui a le pouvoir de décision dans la société africaine) si l'on devait lui donner le traitement. Très souvent, au retour à l'hôpital, l'état de l'enfant s'était détérioré pendant ce temps « perdu », selon ma vision de médecin européen, mais nécessaire au respect des coutumes ancestrales africaines. Il était alors devenu impossible de traiter l'enfant, car il était passé dans la catégorie des condamnés…

Tout cela était totalement nouveau pour moi qui sortais des blocs opératoires de Genève, où l'on portait des casques de cosmonaute dans des locaux ultramodernes conçus pour éviter les infections, et où les équipements radiologiques nous permettaient de poser un diagnostic de fracture sans avoir à le vérifier de nos propres mains ! Pour la première fois de ma vie, je découvrais avec un immense dégoût les horreurs de la politique et ses conséquences inhumaines sur les conditions de vie de la population. Faute de moyens, nous n'avions pas d'unité de soins intensifs, nous ne pouvions faire ni électrocardiogrammes ni transfusions sanguines. Pourtant, le besoin s'en faisait cruellement sentir.

Pendant les trois premiers mois, j'ai appris avec Georges à pratiquer ces triages qui, par moments, bouleversaient ma logique de médecin habitué à bénéficier d'une bonne logistique, tant sur le plan du personnel à disposition que du matériel pouvant prendre la relève après l'opération. Intuitivement, je savais que Georges avait entièrement raison, et pourtant je ne pouvais m'empêcher d'être profondément choqué par ces méthodes. Elles heurtaient toute mon éducation, elles accordaient trop de place à la fatalité, du moins à mes yeux, et j'avais envie de lutter contre elles, de prouver qu'on pouvait se battre, faire mieux, et ainsi sauver plus de vies.

À deux reprises, Georges m'a laissé faire mes choix. J'ai pu ainsi constater que le triage chirurgical effectué selon mes indications n'avait pas été pleinement efficace, et que mon désir de faire mieux avait causé le décès de certaines personnes que nous n'avons pu sauver. De plus, nous avons failli perdre deux patients qui auraient été mieux traités, et plus facilement, si je ne m'étais pas entêté dans mes idées…

Je me souviens d'avoir eu un jour dans mon service un patient atteint d'une tuberculose sévère avec une lésion au poumon, que nous avons donc enlevé. J'ai prescrit une thérapie médicamenteuse pour traiter la maladie. Peu après, le directeur de l'hôpital m'a convoqué dans son bureau pour me demander de bien réfléchir avant de confirmer cet ordre médical. Ne comprenant pas où il voulait en venir, je lui ai demandé des explications. Il m'a alors avoué que ma décision de traiter ce patient sur une longue durée, avec les rares antibiotiques à disposition, allait coûter très cher. Si le résultat n'était pas satisfaisant, nous aurions dépensé beaucoup d'argent et des médicaments qui auraient pu servir à traiter quatre ou cinq personnes dont l'espérance de vie était bien meilleure que celle de ce patient. Après avoir assimilé cette information, à laquelle un médecin travaillant en Suisse n'est jamais confronté, j'ai renoncé à confirmer le traitement.

Le triage touchait donc non seulement les blessés et les enfants souffrant de malnutrition, mais aussi les traitements, sur des critères purement financiers. Je me rappelle avoir éprouvé du dégoût et de la rancœur envers les pays riches qui imposaient des sanctions économiques à la Rhodésie-Zimbabwe. Ces sanctions pénalisaient en premier lieu les pauvres et les défavorisés, et elles n'avaient guère d'effets sur le fond du problème qu'elles étaient censées régler, c'est-à-dire l'apartheid...

Je ne vivais pas la guerre en direct, mais tous les jours j'en voyais les effets : soldats et civils blessés, enfants sous-alimentés, personnes torturées. C'est ainsi qu'un matin, je me suis retrouvé aux urgences pour accueillir cinq jeunes filles blessées, emmenées par leurs parents. Ce que j'ai vu et entendu alors est difficilement racontable, même après toutes ces années.

Une nuit, 12 jeunes filles âgées de 10 à 13 ans avaient été enlevées à leur famille par les Freedom Fighters désireux de punir les villageois qu'ils accusaient de soutenir les troupes gouvernementales. Les ravisseurs avaient violé les jeunes filles et introduit des tisons dans leur sexe. Ils avaient ensuite menacé les parents de revenir si ceux-ci les dénonçaient aux troupes gouvernementales. Terrorisés, les parents avaient caché les filles pendant trois jours dans leurs huttes, au village. Sept d'entre elles étaient décédées. Ils avaient alors pris la décision de transporter les cinq survivantes à l'hôpital.

Ce fut l'une des rares occasions où j'ai vu des hommes africains pleurer. J'étais moi-même sous le choc, ravagé par le récit de ces pères qui me racontaient le calvaire de leurs enfants, mais aussi horrifié par la gravité et l'aspect insoutenable des plaies que ces jeunes filles présentaient. Après avoir pris soin d'elles en salle d'opération, je suis rentré chez moi en pleurant à mon tour et j'ai crié ma colère devant cette barbarie. Trois des jeunes filles sont mortes très vite d'une infection. Les deux autres ont survécu.

Quelques jours plus tard, un homme blessé par balle a été amené à l'hôpital par les troupes régulières. Le diagnostic de perforation de la rate ayant été posé, il fallait l'opérer pour la lui enlever, ce qui lui permettrait de survivre. Je lui ai demandé s'il voulait être opéré, comme c'était la règle dans ce pays à l'égard des adultes. Il m'a donné son accord et m'a avoué, sans l'ombre d'un remords, qu'il était l'un des ravisseurs des 12 jeunes filles violées et torturées.

Je me souviens très bien de ma décision, claire, froide et sans appel : j'allais opérer cet homme sans anesthésie afin qu'il saisisse la portée de son acte et de son ignominie, et qu'il souffre à son tour. J'ai alors demandé qu'on prépare la salle d'opération, mais j'ai « oublié » de demander la présence d'un anesthésiste. J'étais un Blanc, le personnel était noir, et nous étions dans un pays où l'apartheid régnait. Personne ne pouvait contester ma décision, hormis Georges, qui était absent.

Peu après, j'étais dans la salle d'opération avec le blessé. Les draps opératoires étaient posés et j'avais le scalpel à la main, prêt à inciser la peau de mon patient, cet homme abject qui avait martyrisé des jeunes filles jusqu'à la mort. Je me souviens d'avoir croisé le regard de l'instrumentiste qui me fixait avec gravité, saisissant pleinement l'enjeu du moment. J'ai baissé les yeux sur le patient et j'ai demandé : « Où est l'anesthésiste ? » Trente secondes plus tard, celui-ci est entré dans la salle d'opération. Il a endormi le patient qui a pu être sauvé.

Cet épisode a été pour moi une grande leçon qui a guidé ma conduite au cours des années qui ont suivi. J'ai décidé de ne plus juger les personnes parfois ignobles que j'avais à soigner, à opérer ou à accompagner, mais de faire simplement, et le mieux possible, mon travail de chirurgien et de médecin.

On pourrait trouver étrange ou scandaleux que j'aie pu être habité par le désir de venger ou de rendre justice aux 12 jeunes filles torturées. Je laisse chacun juger ma façon d'agir et j'accepte le verdict. Cet épisode, si choquant soit-il, est révélateur des instincts que la guerre et la violence peuvent réveiller chez les victimes directes et indirectes, ou chez les témoins. Comment effacer des images, des odeurs, des ressentis et des émotions d'une telle puissance ? Comment rester le même après de telles expériences ?

Le rythme de travail à l'hôpital était assez intense : 24 heures de garde, puis 12 heures de repos suivies de 12 heures de travail et d'une journée de repos. À titre de chef de clinique, on m'appelait souvent pour régler un problème opératoire ou pour effectuer le triage chirurgical quand la situation l'exigeait. Si ce n'était pas un autobus qui sautait sur une mine avec ses 40 passagers, c'étaient les offensives d'un camp contre l'autre qui avaient lieu une ou deux fois par semaine. On disposait de peu de temps pour décompresser.

Je dois le reconnaître : j'aimais travailler dans cet hôpital. Le stress quasi permanent me donnait l'impression de vivre pleinement. Petit à petit, je me suis habitué au triage, que je trouvais passionnant, même si les scènes que je voyais étaient difficiles à regarder en raison de la gravité des blessures. Je me souviens d'avoir pratiqué 12 amputations le jour de Noël 1978, dont une double amputation chez un enfant de 8 ans. Je suis rentré chez moi après ma journée de travail pour rejoindre la petite et la grande Marie qui m'avaient attendu patiemment, de midi à dix heures du soir, pour fêter. J'étais fatigué, mais surtout étrangement vidé de toute émotion. C'était formidable qu'elles aient eu la patience de m'attendre, mais je ne ressentais ni joie, ni tristesse, ni quoi que ce soit d'autre. J'ai participé à cette fête, mais quelque chose en moi semblait cassé. Je le sentais, et j'essayais de comprendre ce qui m'arrivait, mais, la fatigue aidant, et le travail reprenant le lendemain, je n'ai pas creusé le sujet plus loin. Cela se passait deux mois seulement après mon arrivée en Rhodésie-Zimbabwe…

Les semaines ont succédé aux jours et les mois, aux semaines. Plus le temps passait, plus je me cuirassais sur le plan émotionnel. Je ne ressentais plus de tristesse devant mes patients ni de colère devant l'injustice de certaines situations. J'étais de plus en plus efficace, froidement efficace, faisant la fête quand j'en avais le temps, dormant peu et parlant moins de mon travail à mes proches.

Ce dernier point en étonnera probablement plusieurs. Parler de son travail à ses proches semble une chose toute naturelle; or, il n'en était rien dans mon cas, et cela pour plusieurs raisons. D'abord, un médecin doit respecter le secret médical, ce qui explique qu'il n'expose pas ce qu'il a vécu pendant la journée, bien qu'il puisse le faire sans dire de qui il parle. De plus, il n'est pas très amusant de revenir tous les jours à la maison avec des histoires sombres et douloureuses qui, s'accumulant, risquent de lasser l'entourage. D'autre part, lorsqu'on vit dans un pays déchiré par la guerre civile, où les attentats sont nombreux, on ne tient pas à alarmer ses proches plus que nécessaire; on souhaite plutôt les rassurer. Enfin, il était inconcevable pour moi qu'un homme fort et responsable se mette à parler à tout moment de ses émotions, de sa colère et de sa tristesse. Je n'avais pas appris à le faire et je redoutais que cela ne soit interprété par les autres comme une preuve de fragilité.

Mais, par-dessus tout, il m'était impossible de transmettre à qui que ce soit ce que je vivais quand, après avoir plongé mes yeux dans ceux d'un enfant dénutri, je décidais de le renvoyer chez lui, vers une mort certaine.

Il m'était impossible de communiquer ce que je ressentais quand je pratiquais une amputation sur un civil innocent qui avait malencontreusement mis le pied sur une mine antipersonnel.

Il m'était impossible de décrire les sentiments que j'éprouvais quand je voyais, dans les yeux des dizaines de blessés gémissants qui m'entouraient, toute la souffrance qu'ils enduraient. Ces yeux…

Admettons que j'y sois parvenu une fois, une seule, j'aurais très vite réalisé que, malgré toute son empathie et sa bonne volonté, mon interlocuteur aurait été à des années-lumière de comprendre réellement ce que je vivais. Tant qu'une personne n'a pas tenu elle-même dans ses bras un enfant mourant qui la regarde avec des yeux qui envahissent son visage émacié, elle ne peut imaginer l'effet dévastateur de ce moment.

Et pourtant, combien de fois l'ai-je vécu, ce moment… Un enfant plante ses yeux dans les miens, me regarde sans ciller, ne bouge plus tant est grande sa faiblesse. Il sait, quelque part en lui, que la fin est proche, et je sais qu'il le sait. Mais il continue à s'accrocher à la vie. Il n'y a, dans son regard, ni jugement, ni haine, ni reproche ; juste de la curiosité, une forme de paix, une acceptation profonde de son état désespéré. De l'incompréhension ? Même pas. Et c'est à moi qu'il revient de trancher, à cause de ressources médicales limitées. À qui donner une chance de vivre ? À lui ou au suivant ?

Au fond, je le comprends aujourd'hui, toutes les raisons de garder le silence étaient bonnes à mes yeux. En voici une dernière : j'étais là pour exercer le métier que j'avais choisi, que j'aimais passionnément et pour lequel j'étais rémunéré (même si, en l'occurrence, ce n'était pas grand-chose). Mon travail n'était pas de m'apitoyer sur les victimes, mais de faire en sorte qu'un maximum d'entre elles survive au cauchemar. Le temps m'était compté et il n'y avait pas de place pour les sentiments et les émotions.

Comment s'étonner, alors, de l'espèce d'euphorie qui m'envahissait parfois, une fois le travail terminé ? J'avais le goût de foncer à cent à l'heure, car je n'avais pas encore 30 ans, j'étais vivant et en pleine santé, j'avais une famille que j'aimais. J'avais envie de faire la fête, de boire et de faire l'amour plutôt que de me lamenter et d'effrayer mes proches avec des récits morbides.

Progressivement, sans m'en rendre compte, j'ai pris l'habitude de garder mes émotions pour moi, de ne pas les vivre au grand jour, de me blinder. Plus les mois passaient, plus le blindage s'épaississait. Après quelques mois, je me suis même mis à rire de toute la misère que je côtoyais. Le sarcasme est devenu de mise quand j'accompagnais des débutants, et j'avais tendance à me moquer de leurs moments de «faiblesse», quand ils avaient envie de pleurer ou de crier. Je me disais que s'ils ne parvenaient pas à se contrôler, c'est parce qu'ils n'étaient pas faits pour ce métier et qu'il était préférable qu'ils rentrent chez eux cultiver leur jardin. La faiblesse n'était pas bien vue dans ce métier, même si, à la suite de périodes particulièrement difficiles, le professeur ou ses chefs de clinique pouvaient donner l'ordre à un subordonné de prendre 48 heures de congé pour décompresser. À cette époque, mon entourage professionnel me percevait comme une personne d'une grande force, qui faisait son travail sans se laisser troubler. J'avais érigé avec succès un mur entre moi et les autres, mais surtout entre mon être profond et ce médecin qui avait droit de vie ou de mort sur des personnes faibles et souffrantes.

En tant que père et mari, je faisais aussi tout mon possible pour cacher ce que je vivais. Je me rends compte aujourd'hui que ce mur érigé entre les autres et moi a certainement été difficile à vivre pour mon épouse, à qui je n'ai pas dû témoigner tout l'amour qu'elle était en droit d'attendre… Mais je n'en avais alors pas conscience et n'aurais certainement pas accepté de reproches à ce sujet.

Le TSPT, qui s'installait chez moi, se reconnaît à ces symptômes : la mise à distance des autres, les efforts faits afin d'éviter de parler et même de penser à ce qui est traumatisant. L'entourage a peine à reconnaître la personne qui en souffre, lui reproche de ne plus être la même et de ne plus savoir comment aimer. Marie a bien sûr tenté de communiquer avec moi, de me dire que je m'éloignais. Je me souviens que, ne sachant pas quoi lui dire, je lui répondais invariablement : « Je n'ai aucune idée de ce qui me pousse à agir ainsi et je n'ai aucune bonne excuse. » C'était une réponse peu élégante, mais c'était la seule que je pouvais donner, ce qui me paniquait par moments, car je me rendais bien compte que, à force d'agir de la sorte, je risquais de perdre Marie. Mais je me ressaisissais très vite et me persuadais que tout cela n'était que futilité et superficialité comparativement aux misères de ce monde.

Des élections ont eu lieu au pays et celui-ci a acquis son indépendance en 1980, devenant le Zimbabwe. Après avoir pris le pouvoir, les Freedom Fighters en ont profité pour régler leurs comptes avec la minorité blanche. J'ai vu l'arrivée de «médecins», nommés par le nouveau pouvoir politique, qui s'improvisaient chirurgiens, alors qu'ils n'avaient tout au plus qu'une formation de base en tant qu'infirmiers à l'université Patrice-Lumumba de Moscou. Certes, le nombre des blessés de guerre a alors fortement diminué, mais le niveau de ces soi-disant chirurgiens a créé une autre sorte de stress pour le chef de clinique que j'étais. On a pu alors observer nombre d'erreurs opératoires dramatiques, entraînant des décès par incompétence professionnelle. J'ai tenté de m'élever contre cette situation, mais on m'a fait clairement comprendre qu'en tant que Blanc, il était préférable que je me taise si je tenais à la vie, et que tout commentaire désobligeant à l'égard de mes confrères noirs était à mettre sur le compte d'un racisme qui n'était plus de mise.

J'ai compris très vite que ma place n'était plus dans ce pays. En 1980, la petite Marie, mon épouse enceinte et moi sommes rentrés en Suisse. J'étais profondément choqué de voir la politique prendre le pas sur la compétence. J'avais conduit dans ce pays environ 700 interventions chirurgicales, 250 autres en tant qu'assistant de mon professeur, et 250 à titre de chef de clinique, c'est-à-dire en assistant les chirurgiens dont j'étais responsable. La moitié de ces quelque 1200 opérations était de la chirurgie de guerre. J'avais appris un métier difficile et vécu plus d'événements marquants en 18 mois que je n'en aurais vécu pendant toute une carrière en Suisse. J'avais goûté à une autre façon d'exercer le métier de chirurgien, et ce goût, comme l'avait prédit mon professeur, mettrait longtemps à me quitter.

CHAPITRE 4

Dans la zone grise près des Khmers rouges

Peu de temps après mon retour en Suisse, le Malteser Hilfs-dienst (MHD), la branche hospitalière de l'Ordre de Malte allemand, m'a contacté afin de me proposer un poste de chirurgien à la frontière de la Thaïlande et du Cambodge. J'y suis arrivé seul le 1er janvier 1981, car ma femme était enceinte de notre seconde fille, Cécile, et il était préférable qu'elle accouche en Europe. Ce départ a été difficile sur le plan per-sonnel, car je laissais derrière moi mes deux Marie, ce qui m'accablait d'un profond sentiment de culpabilité. Par ail-leurs, j'étais très excité, après trois mois de repos en Europe, de découvrir un pays inconnu et un nouveau champ d'acti-vité dans un conflit qui avait suscité mon intérêt avant même mon départ pour la Rhodésie-Zimbabwe.

J'étais aussi tendu, et ce, pour deux raisons. Première-ment, je devrais parler et opérer en allemand, alors que j'avais essentiellement travaillé en anglais en Afrique. L'autre raison n'était connue que de moi seul. À la fin de mon séjour en Rhodésie-Zimbabwe, j'avais commencé à ressentir certaines douleurs de type inflammatoire au poignet droit, après des journées où j'avais pratiqué de nombreuses interventions chirurgicales. Mon professeur d'orthopédie, que j'avais consulté à Genève et qui se désolait de me voir repartir à l'étranger, avait diagnostiqué une tendinite. Il m'avait recom-mandé de me ménager et de ne pas opérer trop intensive-ment, puis il avait levé les yeux au ciel et ajouté de façon ironique : « Mais je me doute bien que tu n'en feras qu'à ta tête ! » Bien entendu, pendant ma période de repos, j'avais rarement mal au poignet, mais au fond de moi je savais que cette tendinite était un signe, un signe dont j'ignorais le sens. Et puis, il faut bien le dire, je crevais d'envie de retourner opérer...

La chirurgie provoque chez celui qui la pratique une sorte de dépendance physique. C'est que chaque intervention provoque une décharge d'adrénaline, avant et pendant les gestes cruciaux. À ce moment de l'opération, un silence absolu règne dans la salle ; toute l'équipe est aux aguets et la concentration est maximale. Une fois la phase critique passée, l'ambiance se détend. Cette montée et cette chute de tension sont plus marquées quand le chirurgien est aux prises avec des urgences, et, bien entendu, le stress est moindre s'il opère des patients moins à risque, selon un horaire établi. J'avais eu largement ma dose de cette drogue pendant les 18 mois passés en Rhodésie-Zimbabwe et j'étais, pour ainsi dire, « en manque ». De plus, n'étant pas d'un naturel contemplatif, j'étais stimulé par le défi de reprendre mes activités dans un lieu de la planète où se déroulait un drame humanitaire.

J'avais lu quelques années auparavant *Cambodge année zéro*, un ouvrage qui m'avait beaucoup marqué, écrit en 1977 par le missionnaire catholique François Ponchaud. Ce livre avait fait grand bruit à sa parution, car le portrait que Ponchaud brossait du régime des Khmers rouges ne correspondait nullement à ce que véhiculait la presse occidentale bien-pensante. L'auteur y parlait des exécutions de centaines de milliers de Cambodgiens et de la déportation de millions d'autres hors des villes désertées au nom de la rééducation que devaient subir leurs habitants pour devenir de bons révolutionnaires. Ces pratiques correspondaient en tout point à la thèse rédigée par le chef de l'Angkar (le comité révolutionnaire qui dirigeait le Kampuchéa démocratique), le tristement célèbre Pol Pot, et exposée par son auteur à la Sorbonne quelques années avant la prise du pouvoir au Cambodge par les révolutionnaires. Celui-ci avait reçu des félicitations pour son travail...

François Ponchaud avait été descendu en flammes par l'élite intellectuelle occidentale qui ne savait pourtant rien de ce qui se passait à l'intérieur du Kampuchéa démocratique. En effet, aucune information ne filtrait de ce pays totalement fermé, où nul ne pouvait entrer. Dès 1978, et encore davantage l'année suivante, on a vu des réfugiés khmers traverser la frontière séparant le Cambodge de la Thaïlande, confirmant par leurs récits l'impensable cruauté du régime en place. Au début, les fugitifs avaient été repoussés par l'armée du royaume de Thaïlande, qui voyait leur arrivée au pays d'un très mauvais œil. Puis, lorsque l'armée vietnamienne avait envahi à son tour le Kampuchéa démocratique afin de le libérer des Khmers rouges, les pays occidentaux, opposés au Vietnam (alors allié de l'URSS), avaient fait pression sur la Thaïlande pour qu'elle accepte d'accueillir les Cambodgiens fuyant le régime installé par l'armée vietnamienne.

Les réfugiés qui parvenaient à la frontière étaient souvent dans un état pitoyable, car, en raison d'une politique menée par des personnes ignorantes et fanatiques, le régime de Pol Pot avait transformé un pays fertile et exportateur de riz en un territoire où la famine régnait. Rejoindre la frontière constituait un véritable parcours du combattant : les fugitifs devaient échapper aux affrontements qui faisaient rage entre l'armée vietnamienne et les Khmers rouges, se faufiler entre les lignes de feu pour avancer, éviter ou traverser les champs de mines qui «protégeaient» la frontière, pour finalement se retrouver face à l'armée thaïlandaise qui tentait de les repousser. Certains avaient tenté trois fois de franchir cette frontière... Chaque fois, des gens mouraient en sautant sur des mines, s'écroulaient d'épuisement ou sous les balles des belligérants. La région était de plus infestée par le paludisme, ce qui augmentait encore, comme s'il en était besoin, le nombre de décès. On estime qu'environ une personne sur trois mourait au cours de ces périples. Quant aux femmes violées par les combattants ou par les bandes armées qui se trouvaient dans la région, nul n'a pu en déterminer le nombre, mais cela devait dépasser l'entendement.

Finalement, certains des réfugiés avaient été acceptés en Thaïlande. On les avait regroupés dans trois grands camps gérés par le Haut commissariat des Nations Unies pour les réfugiés (UNHCR), dont celui de Khao I Dang, qui comptait 160 000 personnes en mars 1980. Les plus privilégiés étaient accueillis par des pays tiers; les autres espéraient trouver un pays qui les accepterait. Tous redoutaient d'être refoulés à la frontière.

Cela dit, la grande majorité des fugitifs était répartie dans des camps le long de la frontière, dans une espèce de zone grise coincée entre la Thaïlande et le Cambodge, lequel était dirigé par de nouveaux maîtres soutenus par l'armée vietnamienne. Certains de ces camps étaient encore de stricte obédience khmère rouge, d'autres étaient plutôt favorables à la royauté, et d'autres encore se définissaient sur le plan politique comme des Khmers «roses». La population de ces camps et de cette zone avait atteint, en 1980, de 250 000 à 300 000 personnes. Il était difficile de séparer les civils des soldats.

Pour des raisons politiques et stratégiques évidentes, cette zone grise était fort utile à la communauté internationale occidentale ainsi qu'à la Thaïlande. Elle constituait avant tout une zone tampon nécessaire entre les armées vietnamienne et thaïlandaise. De plus, c'était une vitrine où l'on exposait au monde occidental la terreur qu'inspirait le nouveau régime en place, la souffrance imposée par ce dernier à une population civile sans défense. Enfin, et ce n'était pas la moindre de ses raisons d'être, elle permettait les activités économiques, notamment le commerce des pierres précieuses dont les mines avaient été soigneusement conservées par les Khmers rouges.

Les résidents des camps de la zone grise se trouvaient pris en tenailles entre les armées vietnamienne et thaïlandaise qui s'attaquaient régulièrement à tirs de mortier ou avec d'autres armes. Des groupes armés de diverses mouvances y faisaient de la résistance et du commerce frauduleux. La région était truffée de mines antipersonnel disposées par toutes les parties, et des troupes de résistants se livraient à une guérilla contre l'envahisseur vietnamien. Bien évidemment, les troupes vietnamiennes et l'armée régulière cambodgienne répliquaient.

En bref, ces camps étaient des zones de non-droit où les civils étaient pris en otages et souffraient. Déjà traumatisés par ce qu'ils avaient vécu sous le régime de Pol Pot, ils enduraient la guerre sans répit dans un environnement où l'eau potable et la nourriture de base manquaient cruellement. Les gens souffraient de malnutrition et de malaria, sans parler des autres problèmes médicaux qu'on ne pouvait traiter vu la pénurie de médicaments et de personnel médical ou paramédical. Les effectifs médicaux avaient été décimés par le régime khmer rouge qui considérait ces gens, ainsi que toute personne portant des lunettes, comme de dangereux intellectuels menaçant la révolution...

L'UNICEF fournissait tous les jours l'eau et la nourriture nécessaires à la survie des habitants des camps des zones inhospitalières, où l'agriculture était impossible. Le Comité international de la Croix-Rouge (CICR) s'occupait de la supervision médicale et des activités chirurgicales. Des dizaines d'organisations non gouvernementales (ONG), qui recevaient beaucoup d'argent, se sont multipliées dans cette zone, mais elles travaillaient sans concertation, avec une efficacité toute relative. Les activités chirurgicales et l'hospitalisation des personnes atteintes de maladies sérieuses avaient lieu à Khao I Dang, distant de plusieurs dizaines de kilomètres de la frontière.

Le MHD s'occupait à Khao I Dang du traitement des lépreux qui avaient survécu au régime des Khmers rouges (lesquels avaient pour politique de tuer ces malades), de chirurgie générale et de chirurgie de guerre. Pendant six mois, j'ai pratiqué des interventions chirurgicales dans des conditions similaires à celles que j'avais connues en Rhodésie-Zimbabwe. Je traitais principalement des adultes et des enfants blessés par des mines ou des balles. Dès que leur condition le leur permettait, les blessés étaient reconduits à la frontière, dans les camps d'où ils provenaient.

À cette époque, bien que je ne fasse pas partie du CICR, qui avait un hôpital chirurgical à Khao I Dang, les chirurgiens de cet établissement me demandaient souvent d'y aller donner des conseils sur la façon d'opérer. Le personnel avait grand besoin d'être formé à la médecine de guerre qui, comme on l'a vu, est très différente de la médecine civile. Le travail était intense et mon collègue chirurgien et moi (nous n'étions que deux) ne chômions guère. Nous n'avions accès à Khao I Dang que pendant la journée et devions rentrer dès 17 heures à Aranyaprathet, petite ville où les ONG avaient leur siège respectif et où résidait leur personnel. En effet, les autorités thaïlandaises avaient imposé un couvre-feu dans cette région. Cela compliquait notre travail car, pendant nos heures d'absence, malades et blessés ne bénéficiaient d'aucun soin nécessitant la présence de personnel infirmier ou médical.

Comme dans tous les «hôpitaux» de ce camp, et les autres sur la frontière, les quelque 90 patients étaient allongés sur des lits faits d'une planche de bois et de bambous, à 50 centimètres du sol. Deux infirmières occidentales et une vingtaine de «médics» khmers constituaient le personnel infirmier. Certains parlaient le français ou l'anglais, très peu l'allemand. La grande majorité s'exprimait en langue khmère. Nous avions des traducteurs, ce qui nous permettait de converser avec les patients, leur famille et les médics, lesquels étaient essentiels à notre travail.

Un «médic» n'a aucune notion de médecine, mais des professionnels venus de l'étranger lui ont appris à donner des soins de base: prendre la température, le pouls et la tension; nettoyer des plaies simples; administrer les médicaments; etc. Ces postes étaient convoités, car le médic ne restait pas inoccupé, contrairement à la majorité des résidents, et il touchait un peu d'argent, ce qui lui conférait un statut particulier et envié. Il avait accès aux médicaments, aux pansements et au matériel de suture et opératoire, tous très recherchés par les groupes armés, à cause du marché noir florissant dans ces zones. Cela mettait le médic en danger, car les bandes armées, qui semaient la terreur, pouvaient le contraindre à les approvisionner. Il courait aussi le risque d'être renvoyé à tout moment. Certes, les «expatriés» (c'est ainsi qu'on appelait le personnel non thaïlandais et non khmer des ONG, des agences onusiennes et du CICR) avaient pris des mesures afin que, pendant la nuit notamment, le matériel soit entreposé sous clé, en lieu sûr, mais la violence dans la région pouvait être extrême et il n'était pas rare que nous soyons obligés de nous séparer d'un médic. Nous devions alors former quelqu'un d'autre pour le remplacer, ce qui compliquait notre travail.

En plus des activités chirurgicales, mon collègue et moi nous occupions des lépreux. Nous disposions d'une unité de 20 lits pour conduire les traitements. Je ne connaissais pratiquement rien de cette maladie. Il n'était certes pas compliqué de prescrire un traitement médicamenteux, mais certains patients présentaient des mutilations qui rendaient notre tâche plus complexe.

Un matin, après avoir été appelé par un des médics khmers dans la salle des lépreux, j'ai constaté qu'il manquait deux phalanges au doigt d'un patient. Un rat les lui avait arrachées pendant son sommeil. Cet homme ne souffrait pas, car la lèpre peut causer une perte de sensibilité des membres, mais il était horrifié par cette mutilation. Je me suis efforcé de rester calme, mais j'avais envie de hurler de rage et de passer le camp au lance-flammes afin de le débarrasser de ces rongeurs malfaisants.

Le sort des lépreux m'inspirait beaucoup de compassion. Ceux-ci souffraient de leur maladie, mais plus encore du fait qu'ils étaient ostracisés par leur entourage et mis au ban de la société. De vieilles croyances populaires étaient à l'origine de ce rejet. La lèpre est pourtant beaucoup moins contagieuse et mortelle que la tuberculose, par exemple. Mais les lépreux inspiraient la peur et beaucoup de gens se tenaient loin d'eux, refusant même d'entrer dans les lieux où ils résidaient. Une telle attitude m'indignait. Quand on me demandait de faire visiter l'hôpital du MHD à des représentants de pays donateurs ou à des politiques de haut rang, je commençais souvent par la salle des lépreux en guise de protestation et d'appui envers ces patients mal-aimés. Je disais aux visiteurs qu'il n'y avait aucun danger à s'approcher des lépreux. La visite était généralement écourtée... Quand je commençais par les patients souffrant de blessures de guerre, elle durait beaucoup plus longtemps !

Le contact avec les patients de notre unité n'était pas aisé car, ne maîtrisant pas la langue khmère, je devais constamment passer par l'intermédiaire des médics afin de converser avec eux. Ces patients parlaient peu d'eux-mêmes, de ce qu'ils ressentaient ou avaient vécu. C'étaient des survivants, et ils se focalisaient sur l'espoir de trouver un pays qui voudrait bien les accepter en tant que réfugiés. Il ne faut pas non plus oublier que, pendant les années du régime khmer rouge, les dénonciations pour mauvaise conduite ou mauvaises pensées étaient monnaie courante et entraînaient souvent des punitions sévères, voire la mort. Ces réfugiés se contentaient de donner des réponses lapidaires à mes questions. Ils ne se plaignaient pas, ou très peu, alors que certains, visiblement, souffraient beaucoup ; mais ils accueillaient tous les soins avec gratitude et un grand sourire, une attitude toute naturelle chez beaucoup d'Asiatiques. Dès les débuts de ma mission, j'ai senti que les questions personnelles que je posais parfois étaient inutiles ou indiscrètes. J'éprouvais une certaine frustration à ne pouvoir établir avec mes patients un véritable dialogue, mais je ne désirais pas les forcer s'ils estimaient que parler pouvait être dangereux pour eux.

Le dialogue était beaucoup plus intéressant avec les médics qui parlaient bien le français. J'ai d'ailleurs développé une grande amitié avec l'un d'entre eux, que j'appellerai ici Paul. Âgé d'une cinquantaine d'années, Paul était professeur de français avant la prise du pouvoir par les Khmers rouges et l'exode forcé hors des villes. Il avait réussi à survivre pendant toutes ces années en cachant son identité et en renonçant à porter ses lunettes, attributs des intellectuels. Par contre, son épouse et deux de ses enfants avaient été exécutés. Il avait longtemps cru que son troisième enfant, une fille, était décédée elle aussi, mais il venait de la retrouver grâce au travail magnifique de l'agence du CICR chargée de réunir les familles séparées par les conflits et d'annoncer aux réfugiés le décès de leurs proches.

Paul m'a révélé par bribes les souffrances physiques qu'il avait éprouvées, la malaria, la difficulté à se nourrir, la brutalité des Khmers rouges, et toutes les horreurs qu'il avait vécues avant de parvenir à Khao I Dang. Jamais je n'aurais pu imaginer qu'un tel parcours pût exister. Il me racontait son histoire avec calme, sans amertume, comme si ce cauchemar n'avait été qu'un mauvais moment à passer. Je devinais néanmoins, derrière cette façade, un abîme de souffrance, et cela me peinait beaucoup, d'autant plus que, dès que nous abordions ce sujet, il s'esquivait. Son souhait le plus cher était maintenant d'émigrer avec sa fille en France. Il attendait avec impatience la décision des autorités françaises pour quitter cette région du monde qui l'avait tant fait souffrir. Et pourtant, il savait me vanter comme personne les beautés du Cambodge et de la culture d'avant les Khmers rouges.

Paul a réussi l'exploit de me faire aimer ce pays dont mon travail me faisait percevoir surtout les mauvais côtés. J'avais une grande admiration pour cet homme doux et calme qui vivait totalement l'instant présent. J'ai fait de mon mieux pour appuyer sa demande auprès des autorités françaises, et, quelques mois plus tard, il a pu partir vers son pays d'adoption. Il a alors voulu me donner une chaîne en argent qu'il avait gardée avec lui depuis son départ forcé de Phnom Penh. J'ai bien entendu refusé, mais j'en ai fait réaliser une réplique à Bangkok. Je la porte sur moi depuis lors. Que ressentais-je alors ? Une immense joie et une grande tristesse à la fois. Je ne sais pas ce qu'est devenu Paul, mais je sais qu'il m'a appris une chose inestimable : la force qu'on peut trouver en soi-même quand on vit pleinement le moment présent, sans ruminer le passé ou s'inquiéter du futur.

C'est à cette époque que j'ai commencé à souffrir fréquemment de mon avant-bras droit, ce qui était extrêmement fâcheux, puisque je suis droitier. Les douleurs s'accompagnaient d'une diminution importante de la sensibilité dans deux doigts. Les doigts étant le troisième œil d'un chirurgien, il me devenait difficile d'opérer. Ces douleurs étaient assez intenses pour que, le jour, on m'injecte du fortalgésic (un puissant médicament antidouleur) pour m'aider à pratiquer les interventions chirurgicales. Ces piqûres me soulageaient et me permettaient de retrouver la sensibilité essentielle à mon travail. J'avais aussi une attelle, pour limiter les mouvements, mais je ne la portais pas assidûment. L'intensité et la charge de travail ne me laissaient guère de temps pour soulager mon avant-bras. Le soir, je buvais de l'alcool dans la maison où l'équipe du MHD résidait, ce qui atténuait les douleurs et me permettait de m'endormir facilement. Par contre, la douleur me réveillait au milieu de la nuit, et ensuite je ne pouvais plus fermer l'œil.

Je me sentais étonnamment peu fatigué malgré mon rythme de vie infernal. De toute façon, il n'était pas question que je flanche, car nous n'étions que deux chirurgiens, et mon collègue n'aurait pu assumer ma part de travail. Les douleurs ont ainsi perduré pendant trois mois. Je pressentais que la situation était beaucoup plus grave que je ne voulais l'admettre. Bien entendu, la diminution de la sensibilité dans certains doigts m'a fait penser que j'avais contracté une forme de lèpre, mais ce diagnostic ne tenait pas la route du point de vue médical. Je me rendais compte que je devenais cassant avec les gens, agressif dès que quelque chose ne fonctionnait pas selon mes désirs, mais je continuais néanmoins à remplir mes fonctions. Après trois mois, les douleurs se sont aggravées et se sont propagées au bras tout entier. Je devais prendre des doses plus fortes et plus fréquentes de fortalgésic. Il devenait évident que je ne pouvais continuer ainsi...

Dans le même temps, je supportais de plus en plus mal le fait d'être séparé de ma famille. Cécile, la plus jeune de mes deux filles, était née en Europe en février. J'avais pu aller à Lyon, où vivaient les parents de Marie, pour assister à l'accouchement. Par la même occasion, j'avais fait mes adieux à mon beau-père qui souffrait d'un cancer de la gorge et était en phase terminale. Il est décédé un mois à peine après mon retour sur le terrain. Je n'ai pu assister à son enterrement, ce qui a beaucoup chagriné mon épouse et fait naître des tensions dans notre couple.

À cette époque, les moyens de communication ne permettaient pas comme aujourd'hui de discuter quotidiennement, de loin, avec les êtres chers, encore moins de maintenir avec eux un contact visuel. Aussi mon épouse m'écrivait-elle des lettres pour me donner des nouvelles de nos filles. Elle y joignait des photos. J'avais du mal à les regarder et je ne les conservais pas, car je souffrais profondément de leur absence et j'éprouvais une grande culpabilité.

Et puis, un jour, nous avons organisé leur visite en Thaïlande, à la fin juin. J'avais loué une maison à Aranyaprathet, la petite ville située non loin de la frontière, où nous résidions. J'étais impatient de retrouver ma femme et mes filles en ce lieu, mais j'en éprouvais aussi une certaine inquiétude, puisque des combats se déroulaient à proximité. Le matin ou la nuit, il n'était pas rare d'entendre les tirs d'artillerie et d'armes à feu. Je me demandais comment Marie supporterait le fait de se retrouver seule avec nos deux filles à Aranyaprathet, ne connaissant ni la langue du pays ni l'allemand, langue parlée par mes collègues du MHD. Ajoutons que la maison du MHD se trouvait à plusieurs rues de celle que j'avais louée pour nous.

Aranyaprathet était auparavant une bourgade thaïlandaise pauvre, dotée de rares commerces et de quelques maisons construites en dur. L'arrivée massive des agences onusiennes et des ONG avait entraîné un développement rapide du village qui était devenu un grand bourg. Profitant de cet afflux pour s'enrichir, des promoteurs y avaient rapidement construit de nombreuses maisons qu'ils louaient à prix fort aux expatriés. La sécurité dans la ville était toute relative, car le marché noir entre le Cambodge et la Thaïlande attirait des individus peu recommandables, très souvent armés et prêts à tout pour préserver leur mode de vie et leur négoce. Aranyaprathet restait néanmoins dépourvue de commerces et Bangkok, capitale du royaume de Thaïlande, se trouvait à quelque 200 kilomètres.

Je balayais régulièrement mes doutes et me forçais à demeurer positif, malgré ma situation difficile. Mes douleurs laissaient présager le pire quant à mon avenir professionnel, et je craignais d'être incapable de participer à la vie familiale, impuissant que j'étais à incarner une présence véritable, chaleureuse et aimante, et à partager mes sentiments les plus profonds. Bien sûr, je ne parlais pas à Marie de mes douleurs au bras : je ne voulais pas l'inquiéter, elle qui assumait déjà, seule, la responsabilité de nos deux filles, à des milliers de kilomètres. Je me rendais bien compte qu'en réalité j'essayais de me blinder pour ne rien ressentir et « rester fort », mais j'étais incapable d'agir autrement.

Je réalise aujourd'hui, avec le recul, que je manifestais déjà la plupart des symptômes du TSPT. En effet, se couper de ses propres émotions, être comme engourdi et s'isoler des autres sur le plan affectif sont des signes évidents de cette pathologie. Je bloquais toute émotion en moi, y compris la tristesse que j'éprouvais jusqu'au fond de mes tripes à la vue des horreurs quotidiennes qui étaient mon lot. Quelques années après avoir arrêté la chirurgie, j'ai compris que les douleurs dans mon avant-bras droit, puis dans le bras entier, étaient causées par une immense tristesse accumulée et jamais extériorisée, non vécue. Le trajet de mes douleurs que la médecine occidentale a défini comme étant une tendinite, puis une lésion du nerf cubital dans la gouttière ulnaire du coude, correspond exactement à celui d'un méridien que la médecine traditionnelle chinoise appelle celui… de la tristesse ! Hasard, vraiment ?

Au début du mois de mai 1981, j'ai discuté de mes douleurs grandissantes avec le chef de l'action du MHD, et il a été convenu entre nous que j'arrêterais la chirurgie pendant quelques mois. Cet entretien fut pour moi extrêmement difficile, mais j'en fus soulagé. Mes collègues voyaient bien que la situation ne faisait qu'empirer, mais ils essayaient de ne pas me stresser davantage en me suggérant de prendre le temps de me soigner.

Lorsque le chef de délégation du CICR a appris que j'étais disponible, il m'a demandé si je désirais reprendre la coordination médicale du comité en faveur des réfugiés et des personnes déplacées le long de la frontière. Cette proposition était avantageuse pour les deux parties : j'étais suisse, genevois, médecin, fort d'une bonne pratique de la chirurgie de guerre, et, de plus, j'étais déjà sur place et connaissais un peu la situation politique. De mon côté, je souhaitais bien sûr reposer mon bras, mais je voulais tout de même travailler sur le terrain afin de pouvoir accueillir ma famille.

À cette époque, je connaissais à la fois bien et mal le CICR. La mission de cette organisation internationale est de fournir protection et assistance aux victimes de conflits armés et d'autres situations de violence, ainsi que d'apporter une aide humanitaire dans les situations d'urgence. Dépositaire des Conventions de Genève et des protocoles additionnels, le CICR s'emploie aussi à promouvoir le respect du droit international humanitaire et son intégration dans les législations nationales. Ses représentants peuvent visiter les prisonniers de guerre et les prisonniers politiques dans leurs lieux de détention, sans aucune restriction, et ils ont la possibilité de s'entretenir sans témoin avec les détenus. Son siège est à Genève. Il se trouve que je suis un descendant du général Guillaume-Henri Dufour

(1787-1875), l'un des cofondateurs de ce mouvement, dont l'idée originale revient à Henri Dunant.

J'avais eu quelques contacts avec cette organisation lorsque j'étais en Rhodésie-Zimbabwe. Un jour, le chef de délégation m'avait proposé de partir d'urgence dans un pays africain où une équipe du CICR avait eu un très grave accident de voiture. Je devais assurer le rapatriement des blessés en Suisse, ce que j'avais accepté. À Genève, le chef de la division médicale, qui était aussi le médecin en chef du CICR, s'était toutefois opposé à ce que j'assume cette action. Je n'avais pas du tout digéré ce refus et, du même coup, par bravade, j'avais annoncé que je souhaitais poser ma candidature au poste de délégué du CICR. Je l'avais fait, du reste, mais j'avais été bloqué par la même personne aux premières étapes de la sélection. Les causes de cette inimitié étaient simples : lorsque j'avais souffert d'une tumeur à l'aine, ce médecin, rencontré dans une soirée, m'avait dit que c'était une hernie et qu'il suffisait de la réduire pour que je guérisse. Une fois le véritable diagnostic établi, je m'étais moqué de lui devant certaines personnes, ce qu'il n'avait visiblement pas digéré...

Une fois cet homme neutralisé par les plus hautes instances du CICR à Genève, mon engagement pour six mois est devenu effectif. Le MHD, qui entretenait de bonnes relations avec le CICR, a accepté que je travaille pour la Croix-Rouge le temps de permettre à mon bras de guérir et pour me donner la chance d'accueillir ma famille. Cependant, il était entendu que je reprendrais plus tard mon poste de chirurgien au MHD.

Nous étions en juillet 1981. Après avoir pratiqué 290 opérations sur la frontière thaïlandaise-kampuchéenne, dont la moitié était de la chirurgie de guerre, je suis devenu délégué du CICR et coordonnateur médical en ces lieux.

CHAPITRE 5

Premiers pas
au Comité international
de la Croix-Rouge

L'accueil de ma femme et de mes deux filles dans la maison que j'avais louée à Aranyaprathet a été particulièrement raté. J'étais tétanisé à l'idée de les retrouver toutes les trois. La pensée de ne pas reconnaître Cécile, née quelques mois auparavant, me faisait très peur, et j'ignorais comment se dérouleraient mes retrouvailles avec la petite et la grande Marie. N'ayant pas noté correctement l'heure d'arrivée de leur vol et étant resté longtemps coincé dans des bouchons de circulation à Bangkok, je suis arrivé à l'aéroport avec un épouvantable retard. Inquiète, Marie avait trouvé refuge à l'ambassade de France avec les filles...

Dans la voiture qui nous conduisait à Aran (c'est ainsi que les expatriés appelaient Aranyaprathet), j'ai appris à mon épouse que j'avais cessé d'exercer la chirurgie pour accepter un poste au CICR. J'étais profondément mal à l'aise d'avoir tardé à lui annoncer cette décision. La nouvelle fut une grande surprise pour Marie : quelques mois auparavant, elle avait quitté un chirurgien, et voilà qu'elle retrouvait un coordonnateur responsable de dossiers complexes et à peu près inconnus en Europe. Je me souviens qu'elle a réagi plutôt calmement, ce qui est tout à son honneur. Et cela a eu pour effet de me tranquilliser quelque peu.

L'arrivée à la maison m'inquiétait passablement, car celle-ci, très confortable pour la région, risquait néanmoins de paraître rudimentaire à une Européenne. Les douches étaient des *elephant showers*, c'est-à-dire des bacs dans lesquels on s'aspergeait à l'aide d'un bol. Il n'y avait pas d'eau chaude et les chambres étaient dépourvues de climatisation, alors qu'il faisait vraiment très chaud. En outre, je ne savais pas – et n'y avais du reste absolument pas pensé! – comment nous pourrions nous procurer les couches dont notre fille cadette avait besoin. Ces pensées se bousculaient dans mon esprit au cours du trajet en auto et je me sentais coupable, et surtout un peu stupide, de ne pas y avoir songé avant.

L'entrée dans la maison a été un moment extrêmement tendu. Il est facile d'imaginer la surprise de Marie en découvrant l'état des lieux, elle qui arrivait d'un pays jouissant de toutes les commodités de la vie… Pour ma part, habitué à vivre depuis six mois dans un confort bien moindre, j'étais mécontent qu'elle trouve à redire à cette maison qui était pourtant l'une des plus «occidentalisées» de la ville. Je ne mesurais pas que, malgré tout, ce confort était bien relatif aux yeux d'une maman qui devait prendre soin d'une fillette et d'un bébé. Bien entendu, je ne montrais pas ce que j'éprouvais réellement, ce qui n'arrangeait en rien la situation. Je reconnais toutefois aujourd'hui que leur adaptation à un pays dont elles ne parlaient pas la langue, peuplé d'habitants dont la mentalité différait sensiblement de celle des Européens, s'est très bien passée. Tellement bien, à vrai dire, que notre fille aînée s'exprimait couramment en thaï quelques mois après son arrivée!

De mon côté, je suis passé d'un champ opératoire restreint à un champ d'action beaucoup plus vaste, où il fallait assurer aux réfugiés les conditions nécessaires à leur survie: eau, nourriture, toilettes, évacuation des ordures, surveillance de l'hygiène. Quant aux soins médicaux, ils étaient limités en raison des conditions dans lesquelles les équipes médicales opéraient. Le CICR avait la responsabilité, confiée par la communauté internationale, de superviser les actions médicales dans les camps situés à la frontière du Cambodge et de la Thaïlande, qui abritaient de 250 000 à 300 000 personnes.

À titre de coordonnateur, je devais:

- définir (en accord avec le chef de délégation du CICR basé à Bangkok) la politique médicale du CICR et des ONG travaillant dans les divers camps répartis le long de la frontière, et la politique médicale et chirurgicale de l'hôpital du CICR situé à Khao I Dang, d'une capacité de 100 lits;
- effectuer le triage chirurgical des blessés sur la frontière (en tenant compte des trajets en ambulance qui, selon la situation géographique des camps, variaient de une à trois heures sur des routes difficiles et non goudronnées) afin que ceux qui avaient des chances de survie puissent être opérés à l'hôpital;
- coordonner les équipes chirurgicales en provenance des différentes sociétés nationales de la Croix-Rouge, équipes qui étaient renouvelées tous les trois mois. Cela comprenait la supervision de la qualité des soins donnés aux blessés, qu'ils soient opératoires ou infirmiers, mais aussi, et cela fut difficile, l'imposition de strictes règles opératoires à des chirurgiens peu habitués à traiter leurs patients dans des lieux assez rustiques, en utilisant du matériel excellent mais limité;
- veiller à faire respecter la politique médicale définie sur la frontière, dont certaines ONG avaient fâcheusement tendance à s'éloigner. Le CICR disposait aussi d'unités médicales mobiles le long de la frontière. Leur rôle

était de visiter régulièrement certains camps où aucune ONG ne travaillait, notamment ceux d'obédience khmère rouge;
- établir la liaison avec les autorités civiles et militaires thaïlandaises pour mener à bien nos interventions;
- assurer la liaison avec les agences onusiennes, notamment l'UNICEF, le Programme alimentaire mondial (PAM) et l'UNHCR, pour, entre autres choses, unifier les politiques médicales.

Le personnel expatrié de chaque camp était géré par une ONG qui devait se plier aux règles du CICR. Selon ces règles, il fallait d'une certaine façon « uniformiser » les soins de base donnés dans les camps, car les moyens, limités, ne permettaient pas de tout traiter. Nous devions aussi veiller à ce que les populations autochtones des villages thaïlandais avoisinants reçoivent des soins d'une qualité équivalente à ceux donnés dans les camps. Enfin, il ne fallait pas que les réfugiés des camps reçoivent des soins de trop haut niveau, sinon cela aurait pu attirer des Cambodgiens de l'intérieur du pays, désireux d'en profiter à leur tour. Certains donateurs étaient d'ailleurs prêts à verser des contributions très importantes afin de favoriser ce *pulling factor* pour des raisons purement politiques et pas du tout humanitaires.

C'est ainsi que, à maintes reprises, on a pu reprocher aux personnes travaillant pour le CICR d'être beaucoup trop restrictives dans leur approche humaine et médicale. Chacun souhaitait, dans son camp, donner des soins équivalents à ceux dont on bénéficiait en Occident, sans restriction ni limites. Cette situation avait prévalu au début de l'action.

Certaines ONG faisaient du bon travail, leur personnel était très motivé, mais les résultats étaient catastrophiques en raison de leur méconnaissance du type de médecine qu'il convient de pratiquer dans de telles conditions, qui n'est pas la médecine de l'Europe ou de l'Amérique du Nord. Heureusement, mon prédécesseur avait déjà effectué un excellent travail de coordination et la situation était en voie de normalisation lorsque j'ai pris la relève. Mais il fallait tenir bon et résister aux pressions constantes qu'exerçaient les équipes des ONG et de certains pays qui souhaitaient attirer plus de monde sur cette frontière pour démontrer à quel point la situation au Kampuchéa était catastrophique...

Chaque matin, quand il n'y avait pas d'urgence, je me rendais avec mon officier de liaison thaï, qui parlait couramment le khmer, dans un ou deux camps situés à une distance de 20 à 60 kilomètres de la délégation du CICR. Nous passions beaucoup de temps en auto, puisque, très souvent, les routes étaient en terre. Pendant la saison des pluies, nous nous déplacions en 4 x 4 en raison des mauvaises conditions. Au quotidien, mon travail consistait à aider les ONG à travailler dans les meilleures conditions possibles tout en respectant les règles qui leur étaient imposées, à superviser les soins au besoin, à faire le point avec les diverses équipes et à discuter avec les médics khmers afin de décider en commun de la conduite à tenir devant certaines problématiques.

L'importance des médics était grande car, aux yeux des réfugiés, les médics établissaient le lien entre eux et les étrangers des ONG. C'étaient aussi les médics qui déterminaient les admissions à l'hôpital ou à l'infirmerie dont était doté chaque camp, où l'on s'occupait des blessés légers, des paludéens, des enfants dénutris qu'on espérait sauver, et des gens souffrant de divers maux physiques. Ceux qui n'avaient pas besoin d'être opérés ou admis à l'hôpital principal de Khao I Dang pouvaient bénéficier des soins donnés dans les camps. Ces hôpitaux pouvaient contenir de 50 à 150 lits, selon la population de chaque camp. Les murs de bambou et le toit de chaume permettaient aux patients de jouir d'une relative tranquillité et d'être soignés sans que tout le monde s'agglutine autour d'eux.

Par leur présence physique, les expatriés assuraient une certaine protection à la population civile, mais, pour des raisons de sécurité, les autorités thaïlandaises fermaient la frontière dès la tombée de la nuit et ne rouvraient les routes menant aux camps qu'en début de matinée. La nuit, les camps étaient fermés aux expatriés et laissés à eux-mêmes. La population civile était alors sans aucune protection, si ce n'était celle des mouvements de guérilla qui se trouvaient à quelques kilomètres plus loin, au Cambodge. Cet éloignement physique et cette séparation entre les civils et les hommes armés étaient bien entendu souhaitables, tant pour des raisons politiques qu'humanitaires, mais il arrivait que tous ces gens se retrouvent. Il se produisait alors toutes sortes d'événements : viols, bagarres à l'arme blanche, etc. Très souvent, les victimes étaient conduites dans les hôpitaux durant la nuit et il incombait aux expatriés, qui revenaient le matin, de déterminer si ces personnes seraient soignées ou non. Cela dit, les expatriés ne traitaient que les civils ; on ne pouvait donc pas les accuser de soutenir une guérilla armée. Il reste que les responsables des hôpitaux subissaient parfois des pressions pour fournir des médicaments aux bandes armées. C'est pourquoi on laissait peu de matériel la nuit aux médics khmers.

Il était très important pour moi de maintenir d'excellentes relations avec les médics khmers ainsi qu'avec les médecins, infirmiers et autres employés des ONG des divers camps. Ce travail de coordination était passionnant, car il fallait user de diplomatie avec tous les intervenants : les autorités thaïlandaises dont nous dépendions pour nous déplacer et faire notre travail ; les autorités civiles des camps khmers, dont faisaient souvent partie les médics ; et les quelques personnes faisant la liaison entre les mouvements de guérilla et nous. Ces bonnes relations nous permettaient par exemple d'être informés de l'imminence d'une attaque et d'ainsi mieux protéger non seulement le personnel expatrié, mais aussi, dans la mesure de nos moyens, les civils des camps.

Tout au long de mon séjour dans cette région, j'ai été étonné de la force animant les personnes déplacées qui parvenaient à vivre relativement bien, compte tenu des conditions. Ces personnes n'avaient *a priori* aucun espoir de partir à l'étranger ; aucune porte ne semblait sur le point de s'ouvrir devant elles. Leur seul horizon était ces camps où elles ne pouvaient ni cultiver la terre, ni apprendre un métier, ni même retrouver celui qu'elles exerçaient avant l'arrivée des Khmers rouges. Elles vivaient simplement le moment présent. Leur manière d'être m'a appris beaucoup de choses et m'a fait réfléchir.

Certes, par moments ces personnes étaient anxieuses et se remémoraient les atrocités du passé. Chacune avait perdu deux ou trois membres de sa famille, tués en sa présence. Elles m'en parlaient en catimini, car la crainte des dénonciations subsistait, même si les Khmers rouges ne régnaient plus en maîtres. Elles avaient survécu et en éprouvaient de la fierté, mais, me disaient-elles, leur avenir était sans espoir.

Elles ne pouvaient s'imaginer qu'elles retrouveraient un jour une vie normale, une vie calme. Elles rêvaient de se retrouver loin des combats, des champs de mines et des tortures. Souvent, un de leurs proches, parti ramasser du bois dans la forêt, ne rentrait pas, parce qu'une mine l'avait tué. Et il n'était pas rare de voir des enfants revenir avec une main déchiquetée.

Je me souviens d'avoir demandé à l'UNICEF de livrer du bois chaque jour, en même temps que l'eau potable si vitale pour ces gens. Six mois plus tard, on a finalement entendu ma requête. Mais, en un an et demi, combien de personnes ont été amputées parce que nous leur recommandions de faire bouillir l'eau afin d'éviter les problèmes de diarrhée ou d'infection intestinale! Nous avions oublié qu'il fallait du bois pour cette simple opération, et que la forêt la plus proche était minée...

Un matin, en arrivant dans un de ces camps, un médic que je connaissais très bien et que j'appellerai Songh, s'est précipité sur moi et m'a emmené à l'hôpital pour me montrer un petit garçon de six ans qui avait eu la jambe gauche totalement déchiquetée par une mine. Le médic m'a simplement dit: «C'est mon fils, sauvez-le. C'en est trop pour moi et ma femme!» Je me souviens de son visage, de celui de son fils, blessé depuis plusieurs heures déjà, qui n'avait reçu que des soins rudimentaires au cours de la nuit et qui souffrait atrocement. J'ai répondu que nous allions devoir l'évacuer à Khao I Dang pour le traiter parce que son état de santé ne permettait pas de le garder au camp. Je savais au fond de moi que s'il survivait à ses blessures, il reviendrait amputé d'une jambe plusieurs semaines plus tard, et que, au mieux, il recevrait une prothèse rudimentaire pour l'aider à marcher.

Nous avons donc évacué en ambulance cet enfant qui tremblait d'angoisse à l'idée d'être séparé de ses parents pour aller en Thaïlande, pays inconnu dont il avait une vision terrifiante en raison de ce que les Khmers racontaient sur ses habitants. Là-bas, il a été pris en charge par l'équipe chirurgicale qui l'a amputé à mi-cuisse. Malheureusement, des fragments de métal avaient perforé son abdomen, et, malgré les soins qu'on lui a prodigués, il n'a pas survécu.

J'avais prévenu Songh que l'état de son fils était très préoccupant, mais il m'avait répondu : « Je sais que vous allez le sauver. » Trois jours plus tard, j'ai ramené le corps de l'enfant à son père qui me l'avait personnellement confié, transgressant ainsi les règles édictées par les autorités, lesquelles ont accepté de faire une exception. Songh m'a simplement dit, avec un grand sourire : « Merci. »

J'ai été totalement ravagé par ce remerciement que je ne croyais pas mériter, et je me suis éloigné pour évacuer ma rage et ma tristesse. Sur le plan affectif, j'étais proche de ce médic avec qui j'avais vécu des moments difficiles, lors de bombardements ou quand nous avions soigné des jeunes filles violées. Au cours de ces heures passées ensemble, nous avions parlé de nous, sans fausse pudeur, et nous nous estimions mutuellement. Je l'avais aussi protégé contre certains groupes armés qui voulaient le battre, puisqu'ils estimaient qu'il ne leur remettait pas suffisamment de médicaments (ce qui signifie, en termes clairs, qu'il n'en volait pas assez !). Traverser de telles épreuves avec quelqu'un permet de nouer des liens très forts avec lui car, lorsque le danger rôde, les individus se révèlent sous leur vrai jour, sans fard ni vernis. Lorsque vous avez la chance de découvrir la vraie personne qui se trouve à vos côtés et que cette découverte est positive, vous ne pouvez l'oublier.

Rendre à cet homme, qui espérait tant de moi, le corps inerte de son fils m'a broyé le cœur. J'y ai repensé pendant des mois, quand je me retrouvais seul ou quand je le revoyais chaque semaine. Jamais il ne m'a adressé le moindre reproche, mais je ne pouvais m'empêcher de penser que j'avais failli à mon devoir. Rationnellement, je savais que je n'avais rien à me reprocher et que tout le monde avait fait le maximum pour sauver cet enfant, mais la colère et le chagrin pesaient infiniment plus lourd que la raison dans la balance, et je me sentais coupable à en crever.

Au cours du deuxième mois passé sur la frontière pour le compte du CICR, un médic, avec qui je m'entendais bien, m'a emmené discrètement à la périphérie d'un camp de réfugiés khmers, dans un lieu que nous ne visitions pas habituellement, pour me « montrer quelque chose ». Intrigué, je l'ai suivi en constatant qu'il était très tendu et sur le qui-vive. Il s'est arrêté un instant devant une des nombreuses cabanes en bambou qui servaient de maisons aux réfugiés, puis nous sommes entrés et je me suis retrouvé devant cinq jeunes femmes totalement terrifiées par mon apparition. Le médic les a rassurées, mais j'ai vite constaté que ces femmes me regardaient de leurs yeux vides, hébétées, comme si elles s'étaient détachées de la vie. Le médic m'a expliqué qu'elles avaient été violées de nombreuses fois par des hommes armés pendant leur fuite à travers le Cambodge, alors qu'elles tentaient d'échapper aux troupes étrangères et aux Khmers rouges. Puis elles avaient été « recueillies » par les hommes des mouvements de libération, qui se trouvaient non loin du village, et ceux-ci les avaient violées à leur tour. Depuis, ces hommes revenaient périodiquement pour abuser d'elles.

Le médic m'a fait visiter 3 maisons abritant en tout 17 femmes, toutes dans un même état d'hébétement et de prostration profonde. Bien entendu, tout le monde connaissait leur pitoyable situation, mais personne n'osait intervenir, parce que les hommes armés imposaient le silence à tous, sous peine de mort ou de torture. Je suis demeuré très calme, en apparence du moins. Au fond de moi, c'était pourtant le chaos. J'avais envie de hurler et de prendre à mon tour une arme pour venger les jeunes femmes des salauds qui commettaient de tels crimes.

Malheureusement, j'ai vite compris que je ne pouvais pas faire grand-chose pour elles. L'hôpital était plein à craquer et ces jeunes femmes n'étaient pas assez blessées ou malades pour y être admises. Les évacuer en territoire thaïlandais était aussi impossible, pour les mêmes raisons. Intervenir auprès des autorités militaires était exclu, car j'aurais alors mis le médic et les autorités civiles en danger. De plus, le médic m'avait demandé de n'en parler à personne et de ne pas me rendre régulièrement dans ces maisons, car cela aurait pu les mettre en danger de mort, lui et les femmes violées.

J'ai donc dû me résigner à abandonner ces pauvres femmes à leur triste sort, sachant que mon action avait atteint ses limites. Quelques mois plus tard, j'ai accordé une entrevue à la radio pour parler des femmes qui subissaient d'ignobles traitements dans les camps. C'est malheureusement tout ce que j'ai pu faire. Quelle impuissance j'ai ressentie devant leur souffrance ! Et quelle colère j'ai éprouvée de ne pouvoir en faire plus sans mettre en péril toute l'action en cours ! Imposés par la situation politique, ces choix étaient rationnellement les meilleurs et aidaient des centaines de milliers de civils à survivre, j'en avais pleinement conscience. Mais les émotions n'ont que faire de la logique ; elles ne disparaissent pas sous le coup de la raison, d'un claquement de doigts. Que faire de toute cette colère et de tout ce chagrin ? De toute cette impuissance ?

Le mode d'emploi n'existait pas. À ce moment de ma vie, je n'ai eu d'autre solution que de murer en moi ces émotions, les enfouir le plus profondément possible, dans un silence absolu, et d'essayer d'aller de l'avant en me concentrant sur la tâche qui m'avait été confiée. Ce boulot, je l'avais librement choisi, et il continuait de me passionner malgré tout. En homme fort, j'ai choisi de continuer en me bâillonnant, sans perdre de temps en vaines lamentations.

Mon entourage professionnel n'était pas toujours d'accord avec mes décisions. Quand on dirige une action aussi importante que celle qui m'avait été confiée, que son travail consiste à faire respecter certaines règles dans des camps tenus par du personnel de nationalités, de religions et de croyances diverses, on ne peut pas être aimé de tout le monde. D'autant plus que, dans l'urgence, les discussions ne sont pas de mise. Étant responsable pour le CICR de la bonne marche des opérations médicales et sanitaires dans cette région, ce qui revient à dire responsable devant la communauté internationale, je ne pouvais débattre longtemps le bien-fondé ou l'inadéquation de chacun de mes choix.

Je m'étais fait une ennemie d'une infirmière qui désirait à tout prix garder dans son hôpital tous les enfants dénutris, y compris ceux qui n'avaient aucune chance de survie. Chaque fois que je passais dans cet hôpital, j'avais des accrochages avec elle. J'avais tenté de lui expliquer les raisons pour lesquelles il fallait refuser de traiter ces enfants condamnés, mais en vain.

Un matin, alors que je passais en revue les patients hospitalisés, j'ai vu au loin mon épouse qui tenait dans ses bras un enfant souffrant de marasme. J'en ai été grandement étonné, car Marie n'avait pas le droit de se trouver dans ce camp. J'ai appris par la suite que l'infirmière récalcitrante avait tout fait pour lui obtenir à mon insu un permis de travail provisoire. Les autorités thaïlandaises avaient bien entendu accordé le feu vert à sa demande, car cela leur donnait le moyen de faire pression sur moi, au besoin. J'ai continué à circuler devant les patients avec l'infirmière, en donnant les ordres médicaux ou en décidant qui l'on devait garder ou non à l'hôpital.

Arrivé devant Marie, qui tenait toujours cet enfant dont l'état était désespéré, j'ai dit à l'infirmière qu'il n'avait rien à faire dans cet établissement et qu'il fallait le renvoyer chez lui avec sa mère. Ma femme m'a regardé avec effroi ; quant à l'infirmière, elle m'a traité de monstre. Comme je ne voulais pas envenimer la situation, j'ai gardé le silence tout en continuant à examiner les patients.

Le soir, Marie, encore bouleversée, m'a demandé si Cécile, alors âgée de huit mois, pouvait «bénéficier du même traitement que l'enfant malade que j'avais condamné à mort le matin même»... Je lui ai répondu que je comprenais l'immense déception et la colère qu'elle ressentait après avoir assisté à une telle scène sans y avoir été préparée. Du mieux que j'ai pu, j'ai tenté de lui expliquer que mon travail était difficile et souvent cruel, mais qu'il visait à la survie du plus grand nombre.

Bien que vraies, ces explications ne pouvaient effacer la détresse que Marie avait éprouvée à voir son mari, le père de ses enfants, condamner à mort un autre enfant. Toute tentative de la convaincre du bien-fondé des méthodes que j'appliquais était quasiment vouée à l'échec. Mais comment comprendre une telle chose, si l'on ne possède pas au préalable toute l'information nécessaire? Comment accepter un tel pouvoir décisionnel? Et comment ne pas se révolter devant un tel choix, quand on a tenu l'enfant condamné dans ses bras? Cette expérience malheureuse n'a eu pour effet que de m'encourager à garder le silence relativement à ce que je vivais quotidiennement.

Le CICR, qui représente tous les États membres ayant ratifié les Conventions de Genève, s'occupe aussi des prisonniers de guerre dans les pays en conflit. L'une des tâches de ses représentants est de leur rendre visite dans tous les lieux de détention, sans témoin et sans s'annoncer. À la suite de la visite, un rapport est remis aux autorités carcérales. Ce rapport est confidentiel et n'est pas diffusé dans la presse ni transmis à d'autres parties.

À la frontière entre la Thaïlande et le Cambodge, la situation était particulière: les autorités auraient dû annoncer au CICR qu'elles détenaient des prisonniers et permettre aux délégués d'accéder aux lieux de détention, mais aucun des belligérants ne le faisait. La responsable de la Croix-Rouge du Kampuchéa démocratique, Ieng Thirith, belle-sœur de Pol Pot, avait même déclaré, lors d'une rencontre officielle, qu'«on ne fait pas de prisonniers», ce qui laissait deviner le triste sort réservé aux personnes capturées.

Un jour, alors que je me dirigeais vers un camp de réfugiés, un médic m'a dit, sous le couvert de l'anonymat, que cinq prisonniers vietnamiens, capturés la nuit précédente, se trouvaient à un certain endroit du camp. Je m'y suis aussitôt rendu en faisant semblant de m'égarer et en demandant aux personnes armées, qui se trouvaient sur place, si elles avaient besoin de pansements ou de matériel de base pour donner des soins. Je ne pouvais pas dire ouvertement que j'étais au courant de la présence de prisonniers, sous peine de mettre en péril la vie du médic.

Je me suis mis à discuter avec ces hommes tout en buvant le thé. Au bout d'un moment, je leur ai demandé ce qu'il y avait sous les grilles en bambou, fixées à même le sol, un peu plus loin. Sans leur laisser le temps de réagir, je suis allé soulever l'une de ces grilles et j'ai découvert, dans un trou, un homme terrifié qui se tenait sur ses jambes, mais à demi replié sur lui-même. C'était le premier prisonnier de guerre que je rencontrais de ma vie – tout un choc pour l'Européen que j'étais. Très vite, j'ai compris ce qui expliquait sa curieuse posture : ses geôliers avaient planté dans le sol cinq piques de bambou acérées qui pouvaient s'enfoncer dans le corps du prisonnier si ce dernier essayait de s'asseoir ou de s'allonger par terre.

Ma conduite avait rendu les soldats ivres de rage et ils m'entouraient, me menaçant de leurs armes. La situation est restée tendue pendant une bonne heure. Certains voulaient me frapper et d'autres, m'attirer plus loin. Les palabres ont duré jusqu'à ce qu'un responsable intervienne pour calmer les esprits. Il m'a dit avec fermeté que je n'avais rien vu et que je devais partir.

Tout au long de cet épisode, j'avais toutefois laissé ma radio portable allumée… Mes collègues ont ainsi pu écouter ce qui se passait. Ils ont dépêché dans ce camp d'autres délégués qui ont réussi à convaincre les soldats et leur chef de laisser le CICR s'occuper des prisonniers. Cinq d'entre eux ont ainsi pu être enregistrés en bonne et due forme ; trois souffraient de blessures causées par les piques de bambou. C'est donc grâce à ce médic que nous avons pu découvrir le traitement réservé aux prisonniers de guerre dans cette région.

Le retour à la délégation du CICR a été difficile, parce que les autorités thaïlandaises avaient été mises au courant de notre découverte et désiraient m'interroger pour en savoir plus. J'ai bien évidemment refusé en arguant du statut du CICR. J'étais si ébranlé d'avoir été menacé pendant une heure par des individus armés, et d'avoir vu ce prisonnier, que je me sentais malade. J'avais envie de vomir, de me laver de ces souillures et de me défouler sur quelque chose ou quelqu'un. Il a été difficile de ne pas m'en prendre aux officiers du renseignement de l'armée du pays hôte, mais j'y suis parvenu, comme l'exigeait le poste que j'occupais. J'ai terminé la journée au bar de la délégation et y ai bu plus que de raison, espérant ainsi mettre derrière moi ces événements traumatisants.

Le lendemain, les prisonniers avaient disparu du camp et nous n'avons pu obtenir aucune information des autorités sur leur sort. Toutes les possibilités peuvent être envisagées… J'étais frustré d'avoir cru que nous pouvions sauver la vie de cinq hommes, alors que, en réalité, tous les efforts et les risques n'avaient mené à rien. Mais il fallait poursuivre le travail ; de telles déceptions faisaient partie de mon nouveau métier.

En usant de diplomatie (ou, du moins, en essayant), j'ai tout de même dit à mes supérieurs hiérarchiques ce que j'avais sur le cœur. Mais ce n'est pas parce qu'on exprime rationnellement sa colère et sa frustration que celles-ci disparaissent… Bien au contraire, elles restent en soi, bien incrustées, bien vivantes. On les oublie au bout d'un temps plus ou moins long, mais elles restent à l'état de veille, calfeutrées, prêtes à surgir au moindre moment de «faiblesse», des mois ou des années après qu'on a cru les avoir enfouies pour de bon. C'est une grande illusion de l'être humain que de croire qu'il peut oublier ses sentiments!

Entre-temps, inquiet de mes douleurs au bras droit, je suis allé consulter des spécialistes à Genève. Ils ont diagnostiqué une lésion du nerf cubital et une tendinite du muscle carré pronateur (proche du poignet droit). On m'a dit que la cause en était probablement des microtraumatismes du coude liés à ma pratique du tennis, sport que je pratiquais beaucoup avant mon départ pour la Rhodésie-Zimbabwe. Le traitement consistait à cesser d'opérer et à laisser au repos mon bras droit. Si les douleurs perduraient, il faudrait envisager une transplantation du nerf cubital hors de la gouttière dans laquelle il passe, au niveau du coude. Le professeur d'ortho-pédie, que je respectais énormément, m'a dit que, selon lui, la chirurgie était finie pour moi, sauf si je désirais pratiquer des opérations légères et bien planifiées. Par conséquent, je ne pourrais plus exercer la chirurgie d'urgence et la trauma-tologie qui me passionnaient tant...

Je suis rentré en Thaïlande où, dès mon retour sur la fron-tière, j'ai repris mon travail d'arrache-pied, sans me poser de questions quant à mon avenir professionnel. J'ai fini par croire que ma carrière de chirurgien était terminée. Je n'ai pourtant manifesté aucune émotion ni versé aucune larme. Je ne ressentais rien, sinon un grand vide. Je me suis contenté de rationaliser les choses, me convainquant que j'aimais beaucoup mon nouveau travail de délégué-coordonnateur médical de la plus grande action du CICR en cours. Ce poste me permettait de conserver certaines de mes activités de chirurgien. Par exemple, j'effectuais le triage chaque fois que c'était nécessaire. J'en ferais mon deuil petit à petit, pensais-je... Comprendre est une chose, mais accepter en est une autre.

Fin 1981, une nouvelle entité onusienne, la United Nation Border Relief Operation (UNBRO), a fait son apparition sur la frontière pour reprendre en totalité la gestion des personnes déplacées dans les camps. Son mandat consistait en outre à prendre le relais du CICR quant à la supervision de l'action médicale. En effet, celui-ci avait assumé cette responsabilité par défaut, car nul n'était là pour le faire. Sur le papier, l'UNBRO devait ainsi reprendre une grande partie de mon travail et il ne resterait plus au CICR que ses activités habituelles : son hôpital de chirurgie de guerre, dans le camp de Khao I Dang, à l'intérieur de la Thaïlande, où opéraient les diverses sociétés nationales de la Croix-Rouge ; ses équipes médicales mobiles qui couvraient les camps de Khmers rouges au sud de la frontière ; et, bien entendu, le triage chirurgical, qui avait lieu le long de la frontière, et l'évacuation des blessés vers l'hôpital.

Jusque-là, le CICR avait un coordonnateur médical à la frontière (poste que j'occupais), basé à la sous-délégation d'Aranyaprathet, et un coordonnateur médical pour la Thaïlande, basé à Bangkok, où se trouvait le siège de la délégation. Ce dernier poste était confié à un médecin à qui il revenait de coordonner l'action du CICR avec les autres agences onusiennes et le gouvernement thaïlandais, mais aussi de maintenir des contacts formels ou informels avec la communauté internationale afin d'obtenir des fonds et d'expliquer l'action du CICR le long de la frontière. Plus politique, ce poste était supervisé par le chef de délégation et la division médicale à Genève.

Une tension était palpable entre les opérations dirigées par des délégués du CICR, c'est-à-dire des Suisses ayant suivi une formation spécifique, et les représentants de la division médicale sur le terrain, des médecins qui n'étaient pas forcément suisses, qui appartenaient à des Croix-Rouge nationales et n'étaient pas délégués. Ces derniers faisaient leur travail de leur mieux, mais ils se souciaient peu, ou pas du tout, des délégués qui essayaient de coordonner les diverses actions du CICR.

Parfois, cette tension se manifestait sur le terrain. Lors de certaines rencontres, des médecins, désireux d'appliquer de façon restrictive telle ou telle politique médicale, pouvaient s'opposer aux délégués du CICR qui réclamaient une plus grande ouverture et plus de souplesse pour favoriser les contacts avec les groupes armés et aborder d'autres dossiers avec eux. En effet, le maintien de bonnes relations avec les belligérants permettait aux délégués de rendre visite aux prisonniers, notamment. Pour les délégués, les activités médicales étaient une façon d'entrer en contact avec les autorités politiques, une forme de cadeau ; en retour, ils attendaient une avancée dans le respect du droit humanitaire.

Les délégués du CICR souhaitaient donc que l'action médicale soit le plus large possible, ce qui allait parfois à l'encontre de l'éthique des personnes de la division médicale. Par exemple, les équipes médicales mobiles du CICR se rendaient deux ou trois fois par semaine dans les camps du sud de la frontière, dans des hôpitaux khmers dont les médics étaient des rouges purs et durs. Ces hôpitaux, où aucune ONG n'était admise, étaient situés très près de villages où aucun expatrié ne pouvait se rendre. Le CICR détenait des informations selon lesquelles le gouvernement du régime khmer rouge était toujours actif dans cette région du Cambodge. Il fallait donc tenter d'entrer en contact avec ces autorités qui refusaient toute rencontre avec des étrangers depuis la prise de Phnom Penh en 1975. Le but du CICR était d'assurer une présence au Cambodge, tant du côté des nouvelles autorités gouvernementales, présentes dans les deux tiers du pays, que du côté des autorités du Kampuchéa démocratique, dans l'autre tiers. C'était aussi le rôle de la délégation du CICR basée à Bangkok de travailler en ce sens.

Les demandes des médics khmers rouges étaient nombreuses. Essentiellement, ils voulaient des médicaments pour traiter la malaria et du matériel chirurgical pour opérer les blessés de guerre. Nous pouvions constater, lors de nos visites dans leurs hôpitaux, que les enfants souffraient de malaria sévère et de malnutrition. Nous donnions ce matériel avec parcimonie, car les médecins et les infirmiers du CICR voulaient éviter de fournir de tels médicaments à des gens qui ne sauraient pas les utiliser. Nous organisions ensuite des visites non annoncées pour valider les pratiques. Force était de constater parfois que ces produits avaient été dirigés ailleurs, par exemple vers la ligne de front ou le marché noir...

Au début de 1982, on m'a proposé de devenir coordonnateur médical en Thaïlande pour l'action du CICR dans sa totalité, c'est-à-dire de cumuler les postes de coordonnateur de la frontière et coordonnateur à Bangkok. Cela me donnait bien sûr plus de poids dans l'organisation. Comme l'UNBRO a été incapable de trouver un coordonnateur médical pour me remplacer, j'ai dû continuer à assumer la coordination globale de l'action médicale de la frontière.

Je passais ainsi un ou deux jours par semaine à Bangkok et le reste du temps, à Aran. La bonne nouvelle, c'est que j'ai pu louer un appartement à Bangkok, ce qui permettait à Marie et aux filles de sortir du village plus souvent. C'était pour elles chaque fois une bouffée d'air frais. En effet, une certaine tension régnait constamment dans les villes frontalières. Marie m'avait dit un jour qu'elle trouvait insupportable d'entendre le voisin taper sur son balcon en teck, vers cinq ou six heures du matin. Je lui avais répondu qu'en effet, c'était fort agaçant. En réalité, les bruits que nous entendions étaient des impacts d'obus tirés par les belligérants. L'armée vietnamienne attaquait régulièrement à la levée du jour, car elle bénéficiait d'un avantage non négligeable : elle avait alors le soleil dans le dos, tandis que l'ennemi était aveuglé.

La radio que je gardais allumée 24 heures sur 24 me confirmait souvent une attaque. Je savais alors qu'il y aurait sous peu des blessés à trier. Parfois, les autorités thaïlandaises me demandaient d'aller chercher les blessés avant même la levée du couvre-feu. Je ne prenais pas de vacances et je travaillais aussi le week-end : il y avait toujours une urgence quelque part. Les délégués et les équipes médicales avaient bien sûr le loisir de partir en week-end pour décompresser, mais tous devaient pouvoir rentrer en quelques heures en cas d'urgence. Il est heureux que Marie et les filles n'aient pas été soumises à de telles règles ; ainsi, elles ont pu voyager et découvrir la Thaïlande en compagnie d'amis qui venaient nous rendre visite. Je n'ai pas pu (ou voulu) les accompagner parce que j'étais totalement absorbé par mon travail. A posteriori, je comprends ce qui me poussait à agir ainsi, mais il n'en demeure pas moins que, pour ma famille, mon attitude était difficilement acceptable.

Deux épisodes me reviennent en mémoire quant à mes relations avec les autorités du Kampuchéa démocratique.

Comme je l'ai dit plus haut, les médics khmers rouges que nous rencontrions dans les camps au sud de la frontière nous demandaient constamment du matériel pour pouvoir opérer leurs blessés de guerre. Nous leur répondions que nous étions prêts à le faire, mais à deux conditions non négociables : que nous puissions évaluer les besoins, c'est-à-dire visiter les hôpitaux où ces blessés se trouvaient et les salles opératoires disponibles sur leur territoire ; et que nous puissions rencontrer le fameux chirurgien dont ils nous parlaient, afin de discuter avec lui. Nous en profitions pour leur rappeler que nous avions un hôpital, à proximité de leurs camps, et que nous étions prêts à y opérer leurs blessés. Ils refusaient toujours poliment, mais fermement, cette proposition. Les consignes auxquelles ils obéissaient étaient claires : les évacuations de Khmers rouges en Thaïlande étaient interdites ; et personne, ni civils ni militaires, ne devait entrer en contact avec des Khmers d'une autre obédience politique.

Tous les jours, des enfants mouraient sous nos yeux ou pendant la nuit parce que nous ne pouvions les évacuer vers l'hôpital où l'on aurait pu les sauver. Les membres de l'équipe médicale et moi-même étions révoltés par la situation, mais nous n'y pouvions rien changer. Les médics khmers rouges eux-mêmes étaient embarrassés, mais ils ne pouvaient pas faire grand-chose pour les civils qu'ils accueillaient dans leurs hôpitaux. Les Khmers rouges postés à la frontière portaient maintenant des tenues vertes et non plus noires. Ces nouveaux vêtements devaient faire croire à ceux qui les rencontraient qu'ils avaient changé. Manifestement, c'était loin d'être le cas.

Un jour, une équipe médicale du CICR est revenue à la sous-délégation d'Aran en m'annonçant qu'un médic khmer rouge me demandait de me rendre personnellement dans un des camps, le lendemain, pour y rencontrer un responsable politique. C'était la première fois qu'on formulait une telle requête au CICR. Le lendemain, je suis allé rencontrer là-bas un commissaire politique tout de noir vêtu, qui m'a expliqué que les autorités voulaient du matériel chirurgical, car les besoins étaient grands sur le front. Je lui ai rappelé la politique du CICR et lui ai dit que nous pouvions nous rendre nous-mêmes sur les lieux. C'était la première fois que je me trouvais devant un commissaire politique khmer rouge. J'ai remarqué chez lui une dialectique répétitive, une froideur redoutable et une absence quasi totale d'humanité. Un dialogue de sourds a suivi, qui s'est terminé sur sa menace de ne plus nous autoriser à visiter les hôpitaux de la frontière si nous ne lui donnions pas ce qu'il désirait. Aucune contrepartie n'était possible. J'ai bien entendu refusé sa proposition au nom du CICR.

Le lendemain, l'accès aux hôpitaux nous était interdit. Des enfants et des civils allaient mourir, faute de soins. Mes collaborateurs et moi étions fous de rage. Ce blocus a duré une dizaine de jours, après quoi nous avons pu retourner dans les hôpitaux.

Quelques jours plus tard, les Khmers rouges nous ont adressé une nouvelle requête, indirectement cette fois, mais avec la même menace à la clé. En accord avec la délégation, nous avons décidé de ne pas négocier avec eux, mais de maintenir la pression, sans tenir compte des victimes collatérales (c'est-à-dire civiles). Cette décision a été extrêmement difficile à prendre. Du point de vue médical et humain, ce n'était pas la meilleure idée, mais, compte tenu du mépris total des autorités pour la souffrance de leur propre population, il nous fallait tenter quelque chose d'inhabituel pour mettre fin au chantage. Bien sûr, il y a eu des heurts au sein même du CICR. Scandalisé, le personnel médical a refusé d'interrompre les visites quotidiennes. À titre de coordonnateur et délégué du CICR, j'étais pris entre les deux parties. Je savais que la décision finale me reviendrait et que je devrais la faire respecter.

Après avoir décidé de ne plus nous rendre dans les hôpitaux dirigés par les Khmers rouges, nous avons transmis au commissaire politique un message selon lequel le CICR attendrait son autorisation pour retourner sur les lieux. Pour montrer leur bonne foi, nos équipes se rendaient tous les jours à la frontière, devant le camp où j'avais rencontré le commissaire politique. Chaque fin d'après-midi, sous la pression de notre personnel médical notamment, nous réévaluions notre stratégie. Cet épisode a été très pénible pour moi : d'une part, j'étais convaincu que le seul langage que les Khmers rouges étaient en mesure de comprendre était celui de la force ; d'autre part, le médecin en moi s'alarmait du fait que, le temps passant, les victimes de paludisme et de maladies diverses seraient de plus en plus nombreuses.

Au bout de cinq longs jours, on nous a donné rendez-vous au milieu de la jungle, entre la frontière, où étaient stationnées les troupes de l'armée régulière thaïlandaise, et, pensions-nous, le territoire khmer rouge. Comme d'habitude, nous avons pris les précautions d'usage en avertissant les autorités thaïlandaises et vietnamiennes de notre rendez-vous, démarche bien inutile, puisque tout le monde était déjà au courant. Le chef de sous-délégation et moi-même nous sommes retrouvés en présence du fameux commissaire politique khmer rouge, celui que j'avais déjà rencontré, et d'un commandant militaire. Ces messieurs nous ont dit qu'ils acceptaient que nous inspections les hôpitaux de leur territoire afin de déterminer les besoins, mais ils ont exigé que j'y aille moi-même, accompagné d'une infirmière. C'était la première fois dans l'histoire du CICR qu'une telle proposition nous était faite.

L'entretien n'a duré qu'une trentaine de minutes. En effet, après dix minutes, des obus tirés par l'armée vietnamienne (selon nos interlocuteurs) se sont mis à tomber à 700 mètres du lieu où nous nous trouvions. Au dire du militaire, c'étaient des coups de semonce. Cinq minutes plus tard, une salve a explosé à cinq cents mètres ; puis, cinq autres minutes après, une troisième salve, à deux cent cinquante mètres. Nous avons alors pris la décision de nous séparer. Alors que nous étions tous hors d'atteinte, une explosion a détruit la hutte où s'était tenu notre rendez-vous. Puis, à peine étions-nous passés en territoire thaïlandais que les belligérants se sont mis à se tirer dessus...

Je n'avais jamais éprouvé des émotions d'une telle intensité : une satisfaction profonde d'être parvenu à négocier la première inspection en territoire khmer rouge, mais aussi une tension indicible causée par les tirs assourdissants. Pendant l'entretien, ne connaissant rien aux règles militaires, j'avais, par intuition, fait confiance au commandant khmer rouge, tout en me disant qu'une petite erreur d'appréciation était toujours possible et que nous pouvions tous mourir. Je savais aussi que nos interlocuteurs nous observaient et qu'il était important de leur montrer que nous n'éprouvions aucune peur, ce qui était vrai, du reste. Mais quelle tension, par contre, en nous ! Le retour à Aran fut l'occasion de trinquer avec enthousiasme.

Par la suite, nous avons convenu avec un médic khmer rouge de l'heure et de l'endroit où l'infirmière et moi devions nous rendre pour mener l'inspection. Bien entendu, les lieux où nous irions seraient tenus secrets et je savais que nos radios ne « passeraient » pas. Nous serions par conséquent livrés au bon vouloir de nos hôtes, les Khmers rouges. Puisqu'ils nous avaient dit qu'ils avaient cinq hôpitaux, j'avais demandé à en visiter deux ou trois, à voir les salles opératoires et à rencontrer leur chirurgien. J'avais de grands doutes quant à la compétence de ce monsieur, puisque je savais que toutes les personnes qui possédaient des connaissances médicales avaient été éliminées dès la prise du pouvoir des Khmers rouges. Mais peut-être que notre chirurgien était un survivant de l'holocauste…

Au jour dit, une infirmière, qui avait toute ma confiance, et moi nous sommes rendus au lieu de rendez-vous, où nous attendaient le commandant militaire de la région, le commissaire politique et une quinzaine d'hommes armés. Deux éléphants serviraient à nos déplacements, car c'était le moyen de transport le plus sûr en terrain miné. Après avoir eu beaucoup de mal à monter sur l'animal, je me suis assis à côté du commandant, ce qui était un grand honneur. En l'absence d'un traducteur, nos échanges ont toutefois été plutôt rares, ce qui, bien évidemment, convenait au commandant.

Dans le premier hôpital nouvellement bâti, j'ai remarqué que tous les patients présentaient des blessures légères et que la plupart avaient bonne mine et semblaient bien se porter. En relevant certains pansements, j'ai constaté que leurs plaies étaient superficielles et qu'il ne s'agissait aucunement de véritables blessés de guerre. Je n'ai formulé aucune remarque et j'ai gardé un grand sourire, marque de politesse asiatique. La visite du deuxième hôpital, à quelques kilomètres du premier, s'est déroulée de la même manière. Au troisième hôpital, j'ai eu la joie de reconnaître quelques-uns des blessés que j'avais rencontrés dans le premier établissement...

L'infirmière et moi avons pu visiter la salle d'opération où se trouvaient un lit en bambou et quelques objets qui n'avaient rien à faire là. Malheureusement, le chirurgien, retenu sur le front, était absent. Pressé par mes interlocuteurs de leur confirmer la livraison de matériel chirurgical, de multiples perfusions, d'aiguilles et de fils de suture, j'ai conservé mon sourire et leur ai demandé de nous raccompagner pour que je puisse consulter d'abord mes supérieurs. Je leur ai néanmoins dit que les blessés étaient très légers et que les besoins semblaient se limiter aux pansements. Et, des pansements, nous leur en fournissions depuis des mois déjà.

Le retour avec le commandant, toujours aussi muet, a été tendu. Je pouvais percevoir sa colère. Cet épisode m'a permis de découvrir la parfaite mauvaise foi de ces autorités avec lesquelles je n'avais jamais eu affaire jusque-là. Certes, je n'étais pas naïf, mais je fulminais devant la profondeur du fossé qui séparait les civils, souffrant de malaria et de malnutrition, de ces représentants du pouvoir qui se pavanaient sur des éléphants et qui, bien nourris, se fichaient de la souffrance de leur peuple. Jamais ils n'avaient eu l'intention d'utiliser le matériel demandé pour diminuer les souffrances de la population. Ils souhaitaient plutôt le vendre sur le marché noir pour ensuite s'acheter des armes. Il y avait là de quoi alimenter un certain cynisme...

Un autre épisode a marqué mes relations avec les autorités du Kampuchéa démocratique. Dès leur déroute militaire, ces autorités ont décidé de fonder une Croix-Rouge du Kampuchéa démocratique, qui ne serait bien évidemment pas reconnue officiellement. Le CICR a tenté d'entrer en contact avec sa présidente, qui n'était autre que Ieng Thirith, belle-sœur de Pol Pot. Celui-ci dirigeait l'Angkar, soutenu par son épouse, Khieu Ponnary, par Ieng Thirith et son mari, et par un autre homme. À eux cinq, ils avaient dirigé le régime sanguinaire et continuaient de le faire, tout en étant reconnus par la communauté internationale comme les seules autorités politiques du pays.

Après moult démarches, Ieng Thirith a finalement accepté de recevoir, sur le sol du Kampuchéa démocratique, une délégation du CICR qui comprenait le coordonnateur médical. Notre objectif était de pouvoir rendre visite aux prisonniers vietnamiens aux mains des Khmers rouges.

Cette journée totalement surréaliste est restée gravée dans ma mémoire. Des hommes nous ont d'abord conduits en voiture au milieu de la jungle, dans un lieu qui ressemblait à un camp de vacances. Nous avons pu nous reposer, boire et fumer dans des bungalows en bambou. Rappelons que les civils que nous rencontrions quotidiennement dans les camps manquaient de tout : eau, nourriture, logement, toilettes, vêtements, etc.

Nous avons ensuite été reçus à déjeuner par Ieng Thirith, proche collaboratrice du dictateur sanguinaire qui avait sur les mains le sang de centaines de milliers de victimes. La nourriture était excellente et le vin coulait à flots. Nous étions servis par une ribambelle de Khmers rouges vêtus de noir. La présidente parlait un français impeccable ; elle était d'une amabilité étonnante et d'une grande finesse. Elle nous a raconté qu'elle, sa sœur et Pol Pot avaient fait leurs études à Paris, à La Sorbonne, qu'ils aimaient déguster les merveilleux croissants d'une boulangerie du quartier Saint-Michel, et comment, un jour, sur la route du col du Grand-Saint-Bernard, ils avaient dû pousser leur deux-chevaux pour parvenir au sommet. On aurait dit que nous déjeunions dans une demeure européenne de grand luxe, avec tout le raffinement possible. La présidente se plaignait de la pollution à Tokyo, d'où elle revenait à peine, mais vantait le climat de son pays.

Il y avait un énorme décalage entre cette femme, devant moi, et le personnage odieux et sanguinaire que j'avais imaginé. Ieng Thirith était au contraire une femme très bien éduquée, intéressante et douce en apparence. Sa voix était harmonieuse et son discours, posé. Elle ne laissait transparaître rien de dur ou d'insensible. Toutefois, pendant le repas, un des hommes chargés de servir les convives a laissé échapper une assiette et madame s'est adressée à lui en khmer d'une façon très autoritaire. Je n'ai rien compris de ce qu'elle lui a dit, mais cet incident m'a permis d'entrevoir un autre aspect de sa personnalité.

Après le déjeuner, la rencontre officielle a commencé. La présidente avait retenu les services d'un traducteur. Lorsque nous lui avons demandé de rencontrer, selon le protocole du CICR, les prisonniers vietnamiens détenus par les autorités du Kampuchéa démocratique, afin de vérifier s'ils étaient bien traités et si les lieux de détention étaient conformes aux normes internationales, elle a eu cette réponse stupéfiante : « Il est impossible à un prisonnier dont on a tranché la tête de se plaindre de quoi que ce soit. » Mes collègues et moi sommes restés sans voix devant tant de franchise et de violence. Notre réunion a pris fin assez abruptement.

Cette phrase et le contexte mémorable dans lequel elle a été prononcée me reviennent souvent en mémoire. Encore aujourd'hui, j'en reste incrédule. Qu'ai-je ressenti sur le moment? Étonnamment, ni colère ni rage; rien, sinon une impuissance totale devant une telle barbarie impunie. Je baignais quotidiennement dans un univers où tous les repères de la civilisation avaient disparu. Plus les mois passaient, plus je me sentais pris entre deux forces que tout opposait: la volonté intense de changer ce monde en déroute, et le désir, tout aussi profond, de le quitter, d'une façon ou d'une autre…

À la mi-juillet 1982, Marie et les filles se sont envolées vers la France pour prendre des vacances et préparer la rentrée scolaire de l'aînée. J'étais soulagé de les savoir rentrées en Europe, dans un pays où la sécurité était plus grande que le long de la frontière, mais j'étais triste, égoïstement, de ne plus les avoir à mes côtés, conscient que leur présence comblait un grand vide en moi, même si j'avais du mal à le leur montrer. Un vide profond et un puissant besoin de lutter m'habitaient et m'empêchaient d'exprimer tout autre sentiment. Je ne savais pas encore ce que j'allais faire après la fin de mon contrat avec le CICR, à la fin de l'année.

Pendant l'été, j'ai commencé à préparer mon départ de la Thaïlande, qui devait avoir lieu en octobre 1982. Le CICR me proposait de devenir coordonnateur médical de son action sur la frontière pakistano-afghane et je ne savais pas si j'allais accepter ou non. Certes, j'étais tenté de relever un nouveau défi, mais j'avais besoin d'en parler à Marie et de prendre un ou deux mois de vacances. Or, le poste au Pakistan était à pourvoir dès le début d'octobre…

CHAPITRE 6

La mort, partout : Sabra et Chatila

À la mi-septembre 1982, j'ai dû retourner d'urgence à Genève, d'où je suis reparti sans délai vers le Liban. Il s'y passait «quelque chose de grave», m'avait-on dit, et je devais me rendre au plus vite à Beyrouth. Je ne savais pas vraiment où était le Liban ni ce qui s'y passait; c'était la première fois que j'allais travailler au Proche-Orient. J'ai atterri à Damas, en Syrie, parce que l'aéroport de Beyrouth était fermé en raison du conflit.

Sachant intuitivement qu'un événement majeur se préparait, j'étais fort tendu pendant le voyage en avion et en voiture. J'avais eu à peine deux jours pour voir ma famille, au retour de Bangkok, et je combattais à grand-peine le décalage horaire. Sur la route de Beyrouth, on m'a mis au courant de la situation : l'armée israélienne avait lancé une vaste offensive baptisée «Paix en Galilée» et avait envahi le sud du Liban, jusqu'à la banlieue de Beyrouth. Le but de ces manœuvres était de détruire les troupes palestiniennes dirigées par Yasser Arafat, qui s'étaient repliées à Beyrouth-Ouest, et de capturer le leader palestinien. Arafat a d'ailleurs été évacué par des puissances occidentales vers Tunis, et plus tard vers Tripoli (nord du Liban).

Deux camps de réfugiés palestiniens, Sabra et Chatila, étaient encerclés par l'armée israélienne qui croyait qu'il s'y trouvait encore des Palestiniens armés. Dans ces camps vivaient, avant l'offensive israélienne, des civils et des combattants. Ces derniers avaient fui à Beyrouth-Ouest et tout le monde supposait qu'il ne restait dans les camps que les femmes, les enfants et les vieillards. Aucune nouvelle des réfugiés qui s'y trouvaient n'avait filtré depuis plusieurs jours. Le CICR craignait le pire et avait demandé l'autorisation à la puissance occupante, Israël, de pénétrer dans ces camps pour y soigner les blessés, s'il y en avait, et pour distribuer de la nourriture et de l'eau.

Nous pensions qu'il y avait eu des exactions dans ces camps, car le bruit courait que des milices chrétiennes venant de Beyrouth-Est, qui s'étaient toujours battues contre les Palestiniens, avaient pu y pénétrer. Le CICR attendait le feu vert de toutes les parties au conflit pour faire le travail dont l'avait mandaté la communauté internationale. Nous étions soutenus dans notre mission médicale par des volontaires de la Croix-Rouge libanaise, des personnes admirables, courageuses et dévouées, comme j'allais le découvrir au cours des journées et des années suivantes.

Nous avons finalement eu l'autorisation d'entrer dans le camp de Sabra. Ce qui nous y attendait dépassait nos pires appréhensions. Des milliers de cadavres gisaient dans les rues et dans les maisons. Partout, des femmes, des enfants et des vieillards avaient été torturés, découpés en morceaux ou, pour les plus chanceux, criblés de balles ou poignardés.

Comment décrire ce que j'ai vu ? Comment décrire le corps d'un enfant de quatre ans empalé sur une fourche ? Les mots ne permettront jamais de dépeindre une vision si abjecte ni de rendre l'ampleur du dégoût, de l'horreur, de la révolte et du désir de vengeance qu'elle suscite. Le même spectacle macabre nous attendait à Chatila. Mais à quoi bon raconter ce que j'ai vu ce jour-là, alors que la pudeur impose le silence et le respect pour cet enfant empalé et les souffrances qu'il a endurées ? Transmettre l'horreur, n'est-ce pas, au final, faire trop d'honneur aux bourreaux ? On ne peut leur reconnaître le mérite de rien. Encore aujourd'hui, plus de 30 ans plus tard, il m'est difficile d'évoquer ces heures. Des hommes armés s'étaient vengés de façon brutale et odieuse sur des enfants, des vieillards et des femmes sans défense. Ces charniers traduisaient de façon implacable la sauvagerie et la cruauté du genre humain.

Toutes les personnes présentes étaient atterrées, sans voix ; certaines pleuraient, d'autres avaient la nausée. Chacun était profondément choqué par ce qu'il découvrait. Pendant un certain temps, qui m'a paru interminable, les gens n'ont pu se mettre au travail, incapables de remplir leur mission.

En ma qualité de médecin, je devais soigner et guérir les malades et les blessés. En ce lieu, il m'a plutôt fallu vérifier si des gens avaient échappé à la folie meurtrière. J'ai donc exploré les rues et fouillé les maisons, à la recherche d'un être vivant, mais j'ai eu tôt fait de comprendre que personne n'avait survécu. Tous avaient été lâchement exécutés. Même les chiens étaient morts.

Dans les deux camps flottait une odeur pestilentielle. Comme les corps commençaient à se décomposer, il a fallu les enterrer au plus vite dans des fosses communes, pour des raisons sanitaires, non sans avoir d'abord gardé une trace de l'identité des victimes afin d'aviser les familles. Tout le personnel travaillait mécaniquement, dans un silence que troublaient parfois des vomissements, des cris ou le bruit des machines creusant les fosses. La vue de ces quelques milliers de morts rendait notre tâche extrêmement pénible. Nous avons travaillé sans relâche pendant plusieurs jours afin d'accomplir cette besogne macabre.

Ce premier contact avec le Liban m'a profondément marqué. Pendant de nombreuses années, j'ai été incapable d'évoquer le travail que j'avais effectué à Sabra et Chatila. Les rares fois où j'y suis parvenu, avec des amis très proches, ceux-ci m'ont fait remarquer que je mettais toujours un doigt sous les narines au moment où je décrivais les lieux. Ce geste était purement inconscient ; je reproduisais ce que j'avais fait là-bas pour me protéger de la puanteur. Plus encore que les images terribles, c'est l'odeur de la mort qui m'a marqué.

De retour à Genève, une semaine après, j'ai pu ensuite rejoindre Marie et les filles. J'étais heureux de les revoir, de pouvoir les prendre dans mes bras, de les sentir bien vivantes. J'ai essayé de m'intéresser à leur quotidien tout en ayant encore en mémoire les images des camps de réfugiés palestiniens. Je devais donner le change, puisque je ne pouvais révéler que j'avais vu au Liban la pire des boucheries.

J'ai aussi annoncé à Marie que j'avais accepté le poste de coordonnateur médical du CICR sur la frontière pakistano-afghane et que j'allais partir quelques jours plus tard. Elle et les filles pourraient me rejoindre à Peshawar, au Pakistan, pour les fêtes de Noël. J'avais besoin d'un peu de temps pour trouver une maison dans laquelle nous pourrions vivre. Ma famille vivait dans les cartons depuis déjà quelque temps ; il fallait que cela cesse et que nous nous posions quelque part. Pourquoi pas à Peshawar ? Le seul problème, c'est que je n'avais pas la plus pâle idée de ce qu'étaient ce pays et cette ville. Je ne savais pas non plus comment était organisée la vie sur place pour les expatriés.

CHAPITRE 7

Le conflit afghan

En octobre 1982, deux semaines après mon retour de Thaïlande, le CICR a insisté pour que je parte au plus vite sur la frontière pakistano-afghane. En me proposant de prolonger de six mois mon contrat, on m'a promis que ma famille pourrait me rejoindre vers la fin de l'année. J'ai appris la nouvelle à Marie et lui ai dit que je me réjouissais à l'idée que nous nous retrouverions bientôt là-bas.

À Peshawar, je devais coordonner les actions médicales du CICR à la frontière de l'Afghanistan. Les troupes de l'URSS, comme on appelait alors cette superpuissance, soutenaient le gouvernement de Kaboul et faisaient la guerre aux rebelles afghans qui désiraient libérer le pays de l'envahisseur soviétique. Cependant, nous n'avions pas reçu la permission du gouvernement central de Kaboul de travailler dans ce pays. Le CICR s'était donc établi au Pakistan et avait ouvert un hôpital de 120 lits à Peshawar, puis un second, de 60 lits, à Quetta, dans la province du Baloutchistan. Nous y traiterions les blessés de guerre afghans. De plus, nous avions constitué un centre pour paraplégiques et un centre de prothèses pour les personnes amputées, fort nombreuses dans ce type de conflit.

Chaque hôpital du CICR employait du personnel afghan et pakistanais ainsi que des expatriés. Une infirmière-chef les dirigeait, soutenue dans ses tâches par deux ou trois infirmières du CICR. Des équipes composées de chirurgiens, d'anesthésistes et d'infirmières instrumentistes, envoyées par diverses sociétés nationales de la Croix-Rouge, travaillaient dans ces établissements. On les remplaçait tous les trois mois.

Très vite, tous ces établissements ont été remplis de blessés de guerre provenant des provinces limitrophes où les affrontements étaient nombreux. Le relief montagneux du pays et le transport qui s'effectuait le plus souvent à pied et durait plusieurs jours, amoindrissaient les chances de survie des blessés. Ceux-ci arrivaient le plus souvent à dos d'homme et plusieurs ne survivaient pas au voyage ou arrivaient dans un état aggravé en raison du temps écoulé depuis qu'ils avaient subi leurs blessures. Les amputations étaient très nombreuses et beaucoup plus mutilantes qu'elles ne l'auraient été si les évacuations avaient été plus efficaces.

De très nombreux enfants nous arrivaient victimes des mines antipersonnel qui, à la suite du passage des avions ennemis, jonchaient le sol de certains villages des vallées reculées. Ces mines ressemblaient à des jouets et explosaient dans les mains des enfants qui se ruaient pour les ramasser. Le résultat était instantané : mains ou avant-bras arrachés ou disloqués par le souffle de la mine. Trop souvent, les blessures infectées ainsi que l'état de fatigue et les carences nutritionnelles des petits blessés ne leur permettaient pas de survivre. Désespérés par les souffrances de leurs enfants, les parents ou les membres de la famille étaient bien sûr révoltés par la sauvagerie de ce que la guerre leur imposait.

Dans la chirurgie de guerre, je l'ai dit, les amputations sont fréquentes. Bien souvent, ce sont les seuls actes chirurgicaux qui permettent à une victime de survivre à ses blessures. Provenant de pays où ce type d'opération est rarement nécessaire, les équipes sur le terrain avaient souvent du mal à s'y résoudre. Cela entraînait parfois de vives tensions entre les chirurgiens et moi-même, désireux que nous étions de faire notre travail le plus efficacement et humainement possible, selon nos expériences respectives. Nous étions tous infiniment touchés par ce que nous voyions et révoltés par la barbarie et l'ignominie des moyens employés. Comment pouvait-on oser s'en prendre à des enfants pour miner la résistance de la population ? Mais que pouvions-nous faire, sinon accomplir notre tâche de notre mieux, en mettant nos sentiments de côté ? Bien évidemment, nous en discutions entre nous, mais la pudeur de chacun ne permettait pas une vraie expression de la colère et de la tristesse. Moi-même, bien qu'étant à la tête de cette action médicale, je ne partageais mes émotions avec personne ; je les gardais enfermées à double tour en moi, comme j'en avais pris l'habitude.

Un jour, à Quetta, une des équipes chirurgicales s'est résolue à amputer un blessé afghan au niveau de l'épaule droite. Des éclats d'obus lui avaient emporté l'avant-bras et la gangrène menaçait. N'ayant jamais pratiqué cette difficile opération, le professeur de chirurgie et son collègue m'ont appelé à la rescousse. Non sans peur, j'ai acquiescé à leur demande en raison de l'urgence. Cela faisait 18 mois que je n'opérais plus et j'avais quelques doutes quant à ma capacité de m'y remettre et d'être performant.

Nous avons fait ensemble cette intervention chirurgicale. Vivre ces instants a été à la fois une joie, une grande fierté, mais aussi une sorte de supplice, car je savais que cette opération serait pour moi la dernière. En effet, je n'ai plus jamais opéré depuis. L'intervention fut une réussite sur le plan chirurgical. Notre patient avait tout de même perdu un bras et nous nous sommes bien gardés de manifester notre satisfaction. Il était bien sûr heureux d'être toujours vivant, mais nous savions que le plus dur commençait pour cet homme. Il lui fallait réapprendre à vivre, apprivoiser son nouvel état et retrouver une certaine autonomie.

Le regard d'un blessé qui se découvre amputé d'un membre est souvent plein d'incompréhension. Celui-ci sait bien, avant l'opération, que sa main (par exemple) est en très mauvais état, mais il ne peut s'imaginer que nous devrons pratiquer impérativement l'amputation dans les tissus sains, à la hauteur de l'avant-bras. Ces blessés souffrent très fréquemment de « douleurs fantômes » dans les membres disparus, sans comprendre ce qui leur arrive. Les explications des médecins ou des infirmiers peuvent les aider, mais une certaine méfiance subsiste fréquemment dans leur regard ou leur attitude.

Opérer dans de telles conditions est extrêmement exigeant sur le plan émotif. Un jour, après avoir amputé plusieurs enfants, un des chirurgiens est sorti de la salle d'opération en criant qu'il voulait une kalachnikov pour aller « buter tous ces salauds de Soviétiques ». Cette réaction, tout à fait compréhensible dans les circonstances, ne pouvait être tolérée devant le personnel afghan et les familles des blessés, car elle entachait la neutralité dont devait faire preuve le CICR. Lorsque cet incident lui a été rapporté, le chef de délégation m'a demandé d'intervenir afin de calmer le chirurgien. Je lui ai donc expliqué les raisons pour lesquelles il ne pouvait réagir ainsi, tout en lui disant que je comprenais parfaitement le fond de sa pensée et même que je l'approuvais. Cela n'a fait qu'attiser sa colère. On lui a proposé de prendre quelques jours de vacances, même si cela surchargeait l'autre chirurgien, mais il a refusé, sans décolérer. Il était véritablement à bout de nerfs et j'ai pris la décision de le renvoyer à Genève. Nous ne pouvions le garder avec nous dans cet état et n'avions pas les structures pour nous occuper de lui.

Cet épisode illustre bien ce que devait affronter le personnel médical et infirmier, sans préparation psychologique aucune. Avant de quitter son pays, nul n'avait eu de briefing au sujet de la situation et du travail qui l'attendaient au Pakistan. Dès leur arrivée, médecins et infirmiers étaient brutalement plongés dans la réalité : blessures à traiter selon les principes de la chirurgie de guerre ; moyens chirurgicaux limités par rapport à ce qu'ils connaissaient ; aucune structure de soins intensifs ; salles opératoires rudimentaires ; matériel basique ; etc. De plus, la communication avec les patients ne pouvait se faire qu'avec l'aide d'un traducteur.

Il n'était donc pas rare qu'un membre d'une équipe décompense. Si, après une courte période d'essai de stabilisation, son état ne s'améliorait pas, la seule chose que nous pouvions faire était de le retourner dans son pays. Ce que nous appelions à l'époque la « décompensation » recouvrait en réalité des signes importants qu'on pourrait de nos jours interpréter comme des symptômes du TSPT. La colère de ce chirurgien, ainsi que son expression, était une émotion naturelle. Sa manière de l'évacuer était toutefois inadéquate dans les circonstances. En outre, comme il n'allait pas mieux après deux jours passés au calme et qu'il se sentait toujours tendu à l'extrême, nous craignions que ne surviennent d'autres crises de rage et que l'homme ne soit sur le point d'exploser ou d'imploser à nouveau, ce qui aurait mis en péril l'action du CICR, sa vie et celle de ses collègues.

Qu'advenait-il ensuite de cette personne ? On ne faisait rien pour l'aider, puisque le TSPT était fort mal connu à l'époque. Elle se reprochait probablement de n'avoir pas su affronter la situation et d'avoir déshonoré les couleurs de la société nationale de la Croix-Rouge qui l'avait recrutée. Dure réalité ! Mais y avait-il une autre solution que l'éloignement ? Devais-je courir le risque que cette personne décompense encore plus et mette tout le monde en danger ? N'était-il pas préférable de la déplacer dans un milieu plus rassurant, en espérant que cela l'aiderait à récupérer ? Le choix était simple, en théorie, mais chaque fois que je devais m'y résoudre je souffrais de « remettre à disposition de Genève » la personne en question.

Le centre de prothèses était situé à Peshawar, au Pakistan, et abritait une vingtaine d'amputés qui attendaient leur tour. Selon la philosophie des dirigeants du centre, le matériel de base devait être disponible dans le pays, sinon il serait impossible de réparer sur place les prothèses sophistiquées importées d'Occident. Pour ce faire, il aurait fallu les renvoyer en Europe, ce qui était impensable. Il fallait donc fabriquer sur place des prothèses rudimentaires mais robustes, adaptées au relief montagneux de l'Afghanistan.

Les techniciens du CICR s'y employaient et formaient en même temps des Afghans à ce travail. Les physiothérapeutes prenaient en charge les patients afin de leur apprendre à se mouvoir avec leurs prothèses. Les blessés passaient un mois au centre, puis retournaient dans leur village. J'éprouvais une certaine satisfaction à me rendre dans ce centre, car j'avais l'impression qu'une belle action était faite pour les blessés que nous avions opérés. Quant aux Afghans, ils semblaient accepter leur sort, reconnaissants envers nous des soins qu'ils recevaient, et heureux d'être toujours vivants et de marcher de nouveau, heureux que nous les aidions à vivre malgré leur handicap. Certains voulaient retourner dans leur village et reprendre le combat, d'autres souhaitaient rester au centre le plus longtemps possible.

En tant que chirurgien ayant pratiqué de nombreuses amputations, je ne pouvais toutefois m'empêcher d'éprouver un certain malaise teinté de culpabilité. Je dissimulais ce que j'éprouvais sous un air détaché. Je faisais le clown et plaisantais à propos des événements que nous vivions chaque jour. J'étais le coordonnateur des équipes chirurgicales, de tout le personnel expatrié paramédical et des employés locaux travaillant dans les hôpitaux, et il était de mon devoir de mettre de l'ambiance pour aider les gens à tenir le coup et à travailler sans désemparer, dans des conditions difficiles. Il était important que le sérieux de notre travail ne nous envahisse pas trop, alors je faisais preuve d'un certain cynisme. Un observateur extérieur aurait pu croire que rien ne me touchait.

À cette époque, Marie, toujours en Suisse avec nos filles, m'a appris une superbe nouvelle : elle était enceinte ! La perspective d'être à nouveau père me rendait très heureux, mais cela ne changeait pas réellement ma vie. Il me semblait anormal de ne pas être plus désireux d'avoir à mes côtés ma femme et mes deux filles. Certes, elles me manquaient, mais je me coupais de cet état de manque de façon tellement brutale que parfois il me venait à l'esprit que j'étais sans cœur et insensible. J'étais par contre très mécontent du mutisme du CICR au sujet de l'arrivée de ma famille.

Contre l'avis du chef de délégation et du siège du comité à Genève, j'ai décidé, à l'approche de Noël 1982, d'aller passer les fêtes à Genève auprès des miens. L'entretien que j'ai eu avec mes supérieurs a été fort houleux. J'étais en fin de contrat avec le CICR (en dépit des promesses de prolongation de contrat, rien ne m'avait été officiellement proposé), ce que Marie ignorait, et je n'avais pas la plus pâle idée de la date d'arrivée de ma famille au Pakistan. Je n'avais aucune assurance quant à mon avenir dans cette organisation et voilà qu'on me reprochait de quitter mes fonctions sans l'aval de mes supérieurs! J'ai conclu l'entretien en exigeant qu'on me soumette une proposition écrite, sans équivoque. Sur cette base, je pourrais décider si je restais au CICR ou si je partais pour de bon.

Retrouver mes filles et ma femme m'a fait plaisir, mais j'étais inquiet, parce que je n'avais aucune idée de ce qui nous attendait après les fêtes. Nous n'avions pas de domicile fixe, je n'étais plus chirurgien, et mes moyens financiers ne me permettaient pas de prendre une année de congé. Quant à mes envies, je n'en avais pas: j'étais trop fatigué pour entamer une réflexion à ce sujet. Les vacances de Noël me feraient certainement le plus grand bien!

CHAPITRE 8

Combats à la frontière thaïlandaise-kampuchéenne

Après avoir fêté Noël en famille, ce que j'ai toujours beaucoup aimé, mon épouse et moi sommes allés célébrer le Nouvel An à Paris avec des amis. Le 1er janvier 1983, j'ai reçu un message me demandant de joindre de toute urgence le directeur des opérations du CICR. J'étais étonné en raison de la teneur de nos discussions lors de mon passage au CICR, une dizaine de jours auparavant. Le directeur m'a expliqué que des informations laissaient penser qu'une attaque était imminente dans un des camps de la frontière kampuchéenne. Il me demandait de me rendre sur place au plus vite, car le coordonnateur médical qui m'avait remplacé venait de tomber malade et avait dû rentrer dans son pays. Puisque j'avais travaillé pendant de nombreux mois dans la région et que je connaissais bien les enjeux, les autorités militaires et civiles thaïlandaises, ainsi que le personnel des camps et le CICR, pensaient que j'étais l'homme de la situation.

Soyons franc : j'ai été très flatté par ce discours. Mon ego s'en est trouvé gonflé à bloc, même si je savais que ces éloges avaient aussi pour but de me convaincre de retourner sur la frontière thaïlandaise alors que j'étais en vacances et sans contrat avec le CICR. Avant même que j'aborde ce sujet, le directeur m'a assuré que nous passerions un contrat d'un an ou plus, et que, à mon retour à Genève après cette mission, on me proposerait plusieurs postes. Devant ces promesses, j'ai cédé. J'étais certes satisfait de repartir sur le terrain et de me rendre utile, mais je n'appréciais guère la façon dont le CICR me traitait. Décidé à repartir du bon pied, j'ai pourtant choisi de laisser de côté mes griefs.

Deux jours plus tard, de retour en terrain connu, à Aranyaprathet, j'ai retrouvé les infirmières, les deux équipes chirurgicales et tout le personnel. Comme je connaissais bien ces gens, la reprise des responsabilités en a été simplifiée. Tout le monde semblait heureux de me revoir, y compris les autorités militaires et civiles thaïlandaises qui m'ont fait un très bel accueil. J'ai appris par la suite que c'étaient elles qui avaient averti le CICR de l'imminence de l'assaut et qu'elles avaient demandé que je revienne sur la frontière, à la place du coordonnateur qui venait de tomber malade.

La situation était la suivante : un camp de réfugiés civils (femmes, enfants, hommes sans armes et vieillards) serait bombardé. Des hommes de la résistance khmère, postés à environ un kilomètre de ce camp, harcelaient les troupes de l'armée vietnamienne qui désirait «nettoyer» ce foyer de résistance. Le camp se trouvait sur le territoire khmer, à quelques kilomètres de la frontière thaïlandaise, et l'armée royale thaïlandaise était prête à riposter à toute attaque. Des champs avaient été minés, un peu partout aux alentours, par tous les belligérants.

Le CICR avait mis sur pied un dispositif à deux niveaux : certains soins seraient prodigués dans un lieu situé à proximité du camp menacé de bombardement, et d'autres, à l'hôpital de Khao I Dang, à une trentaine de kilomètres de là. Sur l'aire de réception aménagée sur la frontière, on ferait un premier tri parmi les blessés. On prendrait soin sur place des blessés légers et des condamnés ; quant aux blessés graves mais opérables, ils seraient transférés à l'hôpital de Khao I

Dang – un voyage de deux heures dans les ambulances du CICR. Dans cet établissement, on ferait un second tri, puisque l'état de certains blessés se serait dégradé durant le trajet, puis on opérerait ceux qui avaient des chances de survie et on assurerait les soins postopératoires. Heureusement, nous pouvions compter sur deux excellentes équipes qui, en fonction depuis deux mois déjà, connaissaient bien la chirurgie de guerre, ce qui me rassurait.

Nous avons d'abord cherché un lieu qui serait proche du camp de réfugiés, mais aussi assez sûr pour pouvoir nous y installer une fois l'attaque déclenchée. Un officier de liaison thaïlandais, que je connaissais bien, m'a accompagné dans cette tâche. Nous avons choisi ensemble un emplacement, mais je le sentais tendu, ce que j'ai mis sur le compte de son inquiétude pour le sort du personnel du CICR. Les forces armées thaïlandaises étaient en effet prêtes à tout pour défendre leur territoire et nous avaient annoncé qu'elles n'hésiteraient pas à faire feu si les troupes vietnamiennes s'approchaient trop de la frontière. L'action promettait d'être difficile et lourde, le camp abritant environ 30 000 personnes.

Nous avons fait connaître à tous les belligérants le lieu exact où nous nous établirions pour soigner les blessés éventuels. Nous savions que l'attaque aurait lieu le matin, dès le lever du soleil. Sachant qu'il nous fallait deux heures pour gagner notre emplacement, j'ai négocié avec l'officier de liaison et obtenu la promesse qu'il m'informerait des événements, pour que nous puissions être en lieu sûr une heure au maximum après le début des hostilités.

Tout était prêt à l'hôpital; il restait à organiser le travail sur la frontière. L'équipe du CICR à la frontière était composée de sept infirmiers (un homme et six femmes), six conducteurs d'ambulance thaïlandais et trois *field officers* thaïlandais (hommes d'une grande importance qui accompagnaient les délégués, les infirmiers et moi-même pour faire office de traducteurs et faciliter nos rapports avec les blessés, les membres de leur famille et les autorités de toutes les parties). Je faisais partie des personnes qui devaient travailler dans cette infirmerie improvisée et j'étais en charge du tri et de la coordination de toute l'opération.

Nous avions six ambulances à disposition, qui pouvaient transporter chacune quatre blessés à la fois. Les chauffeurs avaient la lourde responsabilité de les conduire de la façon la plus sûre possible, sur une route en mauvais état, et de respecter les *check points* dressés par l'armée royale thaïlandaise. Ils devaient tout de même se hâter pour que le chirurgien de triage de l'hôpital puisse examiner les blessés le plus vite possible ; et ils devaient ensuite revenir chercher de nouveaux blessés.

Notre matériel était limité, mais suffisant : solutions d'hydratation, pansements, désinfectants, ciseaux, brancards, etc. Notre infirmerie improvisée comportait trois parties. Pour l'ériger, nous avions fauché la végétation et disposé des bâches en plastique à même le sol, où nous recevions les blessés : la première bâche serait réservée aux personnes à évacuer vers Khao I Dang ; la deuxième, aux blessés qui seraient soignés une fois la phase d'urgence terminée ; et la troisième, à ceux pour qui nous ne pouvions rien et qui mourraient des suites de leurs blessures. Deux infirmières étaient responsables de chaque emplacement.

Lors de telles opérations, le personnel infirmier est indispensable. En effet, le chirurgien responsable du triage ne peut accomplir ses tâches sans l'aide de professionnels de grande qualité. Notre équipe comptait trois infirmières qui n'avaient encore jamais vécu l'expérience du triage chirurgical; les quatre autres étaient bien au fait des conditions dans lesquelles nous devions prendre des décisions, lesquelles paraissent souvent cruelles ou même inhumaines aux néophytes. De plus, nous étions proches des zones de combat, ce qui aggrave toujours le stress en raison du vacarme des obus qui éclatent tout près, des gémissements des blessés et des cris de ceux qui les transportent vers l'infirmerie de campagne.

La séance d'informations a été claire et précise. Chacun connaissait sa tâche et devait se tenir prêt à intervenir dès l'arrivée des blessés. Quant à la sécurité, les ordres étaient stricts : puisque nous nous trouvions à l'extrême limite des zones où se dérouleraient les combats, aucun des membres de l'équipe du CICR n'avait la permission de quitter son poste.

J'étais à la fois calme et tendu à la perspective de ce qui allait se passer. Ma concentration était totale et ma confiance dans l'équipe, très grande. Ma seule appréhension concernait les gens dont c'était le baptême du feu. En effet, certains comportements indésirables peuvent se manifester lors de ces opérations, par exemple la panique, la paralysie ou une excitation extrême, signes d'un trop grand stress, ce qui nécessite souvent l'évacuation de la personne affectée hors de la zone de combat. Mais je savais aussi, pour l'avoir vécu auparavant, qu'on peut contrôler sans trop de problème une telle situation. Si l'on m'avait alors demandé ce que je ressentais, j'aurais répondu : « Rien, sinon une certaine impatience de voir l'action commencer. » Cela peut sembler d'une grande froideur, mais c'est la vérité.

La seule chose à laquelle nous ne nous attendions pas, et qui nous a été révélée peu avant l'attaque par l'officier de liaison, c'est que la zone qui nous séparait du camp était truffée de mines antipersonnel. Les personnes qui secourraient les blessés devraient donc traverser ce champ pour gagner notre infirmerie ! J'étais furieux d'apprendre cette nouvelle au dernier moment, mais ne pouvais rien faire d'autre que d'espérer que les victimes ne seraient pas nombreuses. J'ai averti l'équipe de cet imprévu et j'ai martelé que nul n'était autorisé à quitter son poste, même si les blessés étaient tout proches et avaient besoin d'aide.

L'officier de liaison, qui s'était excusé d'avoir « oublié » de m'avertir du danger des mines, a tenu parole et nous a avisés deux heures avant l'attaque. Peu après, à l'infirmerie de campagne, les équipes chirurgicales, les ambulanciers et les délégués du CICR étaient prêts à passer à l'action, plongés dans un silence profond, attentifs aux moindres bruits, tendus à l'extrême. Tout à coup, les bombardements du camp ont débuté. Les bruits assourdissants des armes légères et des obus tombant de toutes parts ont plombé l'atmosphère, mais aucun des infirmiers n'a réagi de façon inquiétante.

Nous avons aperçu les premiers blessés à une centaine de mètres. Les personnes qui les accompagnaient suivaient un chemin assez étroit qui zigzaguait dans le champ. Un blessé s'est éloigné un peu de ce chemin. Une mine a aussitôt éclaté et a projeté l'homme dans les airs. Il ne s'est plus relevé.

Les explosions se sont rapprochées et ont commencé à ravager le camp. L'armée thaïlandaise a répliqué aussitôt en tirant des obus par-dessus le camp dans l'espoir d'atteindre les Vietnamiens et de les repousser. Soudain, nous avons vu des dizaines d'hommes, de femmes et d'enfants surgir du camp et courir vers nous à travers le champ de mines. Plusieurs n'ont pu aller bien loin. Le spectacle de cette boucherie se déroulant sous mes yeux, alors que j'étais impuissant à avertir ces pauvres gens, était horrible. J'étais atterré, consterné par la tournure des événements. Mes responsabilités m'ont cependant vite rattrapé, car, heureusement, beaucoup parvenaient tout de même à franchir cette monstrueuse course d'obstacles. Certains avaient été blessés par les obus tombés sur le camp, mais beaucoup s'étaient fait estropier en marchant sur une mine.

J'ai effectué mon travail avec une immense concentration, sans affect, résolu à faire de mon mieux. Alors que j'achevais un premier tri, j'ai aperçu une femme qui courait dans le champ de mines jonché de cadavres et de blessés qui gisaient, abandonnés. Elle portait un enfant et tenait d'une main une petite fille de sept ou huit ans. Je m'attendais au pire. J'étais paralysé et je savais que les deux hommes à côté de moi, mon *field officer* et l'infirmier, étaient eux aussi pétris d'effroi et d'impuissance. Elles se sont rapprochées et, alors qu'elles étaient à une vingtaine de mètres de nous, une mine a explosé et les a couchées au sol. La fillette s'est relevée en tenant son bras droit à moitié arraché. Elle avançait en titubant et aucun son ne sortait de sa bouche.

Le reste s'est passé au ralenti, comme dans un film. J'ai couru la rejoindre dans le champ de mines, sans réfléchir, par pur réflexe. Je l'ai soulevée, ai appuyé sur son artère humérale afin de stopper l'hémorragie qui la vidait de son sang, puis l'ai ramenée à l'infirmerie. Je me souviens de son visage aux yeux allongés. Souriante, apaisée, elle est morte quelques minutes plus tard dans mes bras. Il n'y avait rien à faire pour la sauver.

Je l'ai posée par terre en m'agenouillant et le temps a repris son cours. J'ai regardé mon *field officer* et les autres personnes qui m'entouraient, honteux d'avoir transgressé les ordres que j'avais moi-même donnés à mon équipe, mettant ma vie et toute l'opération en danger. Je leur ai dit : « Excusez-moi. On continue le boulot. » Nous nous sommes remis au travail et personne ne m'a fait la moindre remarque désobligeante. Je sentais parfois peser sur moi leurs regards incrédules, mais aussi indulgents et pleins d'amour, me semblait-il. Cette journée s'est terminée tard. Il nous a fallu trois jours pour absorber tous les blessés et achever notre intervention.

Le premier soir, lors du bilan, je me suis de nouveau excusé devant mon équipe en disant tout le mal que je pensais de mon erreur. Je ne comprenais pas mon acte et il n'y avait aucun héroïsme dans celui-ci. Chacun s'est tu, puis l'une des infirmières m'a dit qu'elle était heureuse que je m'en sois bien tiré et que c'était le principal. Le reste de l'équipe a manifesté son approbation et son soulagement. Certains ont pleuré et exprimé toute la colère que leur avaient inspirée les événements. Tout cela s'est terminé autour de quelques bouteilles ; certains ont bien sûr bu plus que de raison. Mais, le lendemain matin, de très bonne heure, toute l'équipe était prête à repartir sur le terrain pour affronter la deuxième journée de l'attaque du camp de réfugiés.

Ma réaction spontanée peut-elle être imputée au TSPT ? Je me suis longtemps posé cette question après que j'ai compris que j'en souffrais. Était-ce un acte de mise en danger volontaire, symptôme commun de cette pathologie ? Ou une sorte de dissociation, autre signe du TSPT ? Après y avoir longuement réfléchi, ma réponse est très claire : ma réaction était un simple réflexe, que je n'associe pas au TSPT dont pourtant je souffrais sans doute déjà. D'où venait-elle ou quelle en a été l'origine profonde ? Je laisserai aux personnes compétentes le soin d'apporter une réponse à cette question...

CHAPITRE 9

Retour au Pakistan

Alors que se terminait mon travail sur la frontière thaï-landaise-kampuchéenne, j'ai reçu un appel du siège du CICR à Genève : on me demandait de rejoindre au plus vite Peshawar, où l'armée soviétique préparait une attaque majeure. Je suis parti quasi immédiatement pour Bangkok sans avoir pu dire au revoir à l'équipe qui avait accompli un si fabuleux travail au camp de réfugiés.

Le voyage à Peshawar comprenait une escale à Karachi, mégalopole et capitale du Pakistan, où je devais passer la nuit en attendant de prendre l'avion pour Islamabad le lendemain matin. Après avoir dîné, alors que je m'apprêtais à m'endormir, les images de la petite fille du champ de mines me sont revenues à la mémoire avec une force terrifiante. Brusquement, sans raison apparente, sans signe annonciateur, toute l'horreur de la situation m'a envahi. Des sentiments d'une extrême intensité sont remontés à la surface sans que je puisse les contenir : j'étais oppressé, tendu à l'extrême, j'avais envie de hurler de dégoût et je me sentais profondément mal. Mes pleurs allaient bien au-delà des larmes de tristesse et s'apparentaient à des cris de bête blessée. Je ne savais que faire de ces images et de ces émotions qui m'envahissaient. Je vivais sans le savoir mon premier *flashback*…

Ce soir-là, j'ai éprouvé le besoin d'écrire à ma mère afin de lui exposer ce que j'avais vécu sur la frontière. Dans cette missive, je m'accusais d'être responsable de la mort de cette fillette et de toutes les personnes à qui j'avais refusé des soins lors des triages. Cela peut sembler déraisonnable, mais cette conviction m'accablait. J'éprouvais une immense culpabilité et une haine de moi-même pour n'avoir pu sauver toutes les victimes qui s'étaient présentées à moi.

Même si les mots ne pouvaient exprimer la dureté insoutenable des images que j'avais vues, ni la cruauté à laquelle j'avais été confronté, écrire m'a fait du bien et j'ai pu trouver le sommeil. Dès mon réveil, il n'y avait plus aucune trace de cette mauvaise soirée et de ce que j'avais vécu. Je me suis demandé si j'avais bien fait d'écrire cette lettre à ma mère et j'ai tenté de la récupérer pour la détruire, mais la réception de l'hôtel l'avait déjà postée.

Pourquoi m'adresser à ma mère plutôt qu'à Marie? Je crevais d'envie de partager avec mon épouse ce que je vivais, mais me refusais à lui imposer ma souffrance et ma culpabilité. Elle s'occupait seule de l'éducation de nos filles et gérait la vie de toute la famille pendant que, moi, j'étais occupé à «sauver l'humanité»... À mes yeux, déverser en plus tous mes soucis sur elle aurait été un comble! Ma pauvre mère a donc été la destinataire de mes malheurs. Elle m'a répondu quelques semaines plus tard avec cœur, de façon aimante et respectueuse, en utilisant les mots que toute personne sensée aurait utilisés: «Tu n'as pas condamné ces personnes à mourir, tu as certainement fait ton travail au mieux», etc. Peine perdue. Blessé et troublé comme je l'étais, ses consolations m'ont laissé de glace. J'ai même pris sa réponse comme une preuve de plus que je ne valais pas grand-chose.

Je suis arrivé à Peshawar où l'on m'attendait pour évaluer la situation. Je me suis concentré sur ma mission et j'ai tout fait pour oublier le grand moment de faiblesse que je venais de vivre. Notre hôpital était bondé ; les deux équipes chirurgicales ne pouvaient opérer plus qu'elles ne le faisaient et nous nous attendions à recevoir des dizaines de blessés supplémentaires, compte tenu des informations que nous avions reçues. Avec l'accord du siège de Genève, nous avons décidé de construire un hôpital de campagne, même si les coûts ont fait froncer bien des sourcils.

Quatre jours plus tard, nous avions gagné ce pari presque impossible et étions prêts à soigner et à opérer une centaine de blessés sur un terrain vague prêté par le gouvernement pakistanais. Avec l'aide de techniciens spécialisés, nous avions édifié nous-mêmes cet hôpital provisoire qui nous avait été donné par une société nationale de la Croix-Rouge, nous avions construit des latrines, installé les lits et les tentes sous lesquelles les blessés (et un membre de leur famille) seraient logés, puis nous avions fait venir quatre équipes chirurgicales et cinq infirmières. Ce fut un travail harassant, mais les efforts de tous ont assuré la réussite de cette action. Bien évidemment, nous avions reçu un soutien non négligeable de Genève. Les autorités pakistanaises nous avaient aussi beaucoup aidés en autorisant l'atterrissage d'avions chargés de matériel un vendredi, jour où, habituellement, pour des raisons religieuses, toute activité dans l'aéroport est interdite.

Dans l'attente des premiers blessés qui tardaient à arriver, le chef de délégation et moi avons soupé en tête à tête. Cet homme, qui avait passé dix ans au CICR, était un excellent professionnel, très expérimenté. Réservé, il était peu enclin à parler de lui. Je me souviens de ce souper comme d'un formidable échange. Nous avons évoqué nos doutes quant à l'action en cours, nous demandant si la décision d'établir un hôpital de campagne était justifiée, vu le petit nombre de blessés qui s'annonçait. Puis, nous avons discuté de notre vécu : nos peurs, nos tristesses, nos joies aussi. Si étrange que cela puisse paraître, la joie prédominait. En effet, il est extrêmement valorisant de mener des actions bénéfiques pour les victimes, lesquelles nous en sont reconnaissantes. Nous éprouvions tous deux une immense frustration devant toutes les actions bloquées pour des raisons politiques, ce qui nous obligeait à assister, totalement impuissants, à des actes inhumains à l'encontre des civils.

C'était la première fois que j'entendais un délégué si expérimenté parler de ce qu'il ressentait. Je me suis rendu compte que je n'étais pas le seul à être habité par un maelström d'émotions. Bien sûr, nous n'avons ni pleuré ni exprimé notre colère, mais cet homme et moi avons pu échanger des confidences, faisant fi de la règle bien connue au CICR quant à nos contacts extérieurs : « Nous parlons de ce que nous faisons et non de ce que nous voyons ou éprouvons. » Cette règle, je l'appliquais trop souvent, m'interdisant ainsi toute forme de communication qui aurait pu soulager ma détresse.

Le lendemain matin, les blessés ont commencé à arriver. Ils avaient souvent parcouru une longue route à travers les montagnes, suivant des chemins connus d'eux seuls, portés par des membres de leur famille, puisque la plupart ne pouvaient marcher. Ils étaient soulagés d'arriver à bon port, mais terriblement fatigués, très inquiets du diagnostic qui les attendait. Ils posaient peu de questions et semblaient accepter leur sort avec fatalisme. Beaucoup de souffrances, pas de larmes ; une détermination farouche à repartir au plus vite. Nous étions étonnés, pour ne pas dire abasourdis, par le stoïcisme dont ils faisaient preuve, alors que, visiblement, ils souffraient beaucoup. Même les enfants, filles et garçons, ne se plaignaient pas et gémissaient peu.

Leurs blessures étaient souvent importantes et le temps de transport avait aggravé leur état. J'essayais parfois d'imaginer qu'on me transportait sur un brancard, une jambe déchiquetée par un obus, pendant deux jours et deux nuits, sur des sentiers de montagne, sans médicaments antidouleur, buvant le minimum d'eau, sous la menace des hélicoptères ennemis survolant la région... Je ne sais pas si j'aurais eu la force et le courage de survivre. Eux, ils y parvenaient, et je les admirais pour cela. Souvent, nous devions les amputer, et ils le savaient d'avance, même s'ils ne nous posaient aucune question. Leur cauchemar n'était pas fini, loin de là. Mais aucune révolte, aucune menace, aucune haine n'était visible ni même palpable. Seules l'acceptation de leur sort et une certaine gratitude envers ceux qui s'occupaient d'eux semblaient les habiter.

Pendant une quinzaine de jours et de nuits, nous avons travaillé comme des forcenés. L'afflux des blessés était régulier et il n'y avait pas lieu de faire un triage chirurgical strict. Cela me laissait du temps pour encadrer les équipes chirurgicales et me mettre à leur service. Un jour, sous la pression, une infirmière a craqué. Elle a été prise en charge par la société de la Croix-Rouge de son pays.

En tout, j'ai passé trois semaines sur place, puis, alors que l'action tirait à sa fin, on m'a demandé de rentrer à Genève où une proposition m'attendait. Après deux missions difficiles mais palpitantes, j'étais content de retrouver ma famille, mais aussi impatient de savoir ce que les dirigeants me diraient.

À Genève, en présence du directeur des opérations, le chef de la division médicale et médecin chef du CICR m'a demandé de partir au Liban pour un mois à titre de coordonnateur médical. Après cette mission, je pourrais exercer les mêmes fonctions, mais au siège de Genève, où je serais responsable des zones Asie et Pacifique, Moyen-Orient et Europe. C'était un poste de haut niveau et une importante promotion, ce qui permettrait à ma famille de retrouver une situation stable, en Suisse ou en France, selon ce que nous déciderions. Marie étant enceinte de notre fils qui naîtrait quelques mois plus tard, j'étais fort heureux de cette proposition, qui était une belle reconnaissance du travail que j'avais accompli jusque-là. Par contre, je sentais que ma nomination ne faisait pas plaisir au chef de la division médicale auquel j'allais devoir me rapporter, mais j'étais certain du soutien des opérations, auxquelles la division médicale était hiérarchiquement rattachée.

De son côté, Marie était soulagée. L'idée de repartir en campagne avec trois enfants ne lui souriait guère, on peut comprendre pourquoi. De plus, la petite Marie avait commencé l'école et une certaine stabilité était souhaitable. Je me suis donc envolé quelques jours après pour le Liban, le cœur un peu plus léger, content d'avoir assuré la sécurité de ma famille.

CHAPITRE 10

Au Liban,
sous les tirs croisés

Mes tâches en tant que coordonnateur au Liban consistaient à définir et à diriger les activités médicales dans ce pays où s'affrontaient des factions armées, dirigées par des chefs de guerre appartenant souvent à diverses communautés religieuses, ennemies les unes des autres depuis toujours. Sous le couvert d'appartenance ou d'affiliation à telle ou telle religion, le jeu politique auquel se livraient la Syrie et Israël exacerbait ces affrontements. Une partie du pays était occupée par l'armée israélienne. J'avais aussi la responsabilité de superviser la visite des prisonniers de guerre et des détenus politiques aux mains des diverses factions des zones occupées et du reste du pays. En outre, je devais rencontrer les personnes qui dirigeaient ces factions afin d'aider le CICR à mieux travailler dans cette poudrière qu'était le Liban à cette époque. Un mois, c'était bien court pour faire tout cela, mais la délégation en place avait parfaitement bien préparé ma mission.

Quelques jours après mon arrivée, j'ai été envoyé dans la région du Chouf pour évacuer des blessés qui nécessitaient une hospitalisation urgente. Le problème était que ces gens devaient traverser des villages ennemis pour atteindre l'hôpital le plus proche. En effet, cette région comportait des dizaines de villages appartenant à des communautés religieuses différentes, en guerre les unes contre les autres. Le CICR négociait un cessez-le-feu provisoire avec toutes les parties pour qu'on puisse apporter aux blessés les secours nécessaires ou les évacuer. Notre équipe comprenait une infirmière, un *field officer* libanais qui parlait parfaitement le français et l'arabe, et deux chauffeurs d'ambulance qui pouvaient transporter quatre blessés chacun.

Nous avons pu parvenir sans encombre au village où se trouvaient les blessés, faire le triage et mettre dans les ambulances ceux dont l'état le nécessitait. Pour les amener à l'hôpital, nous devions, comme je l'ai dit, traverser des villages dont nos blessés combattaient les habitants depuis des mois. Il y avait eu des morts des deux côtés et ces gens se haïssaient farouchement. Très respecté dans la région, le CICR parvenait néanmoins à faire son travail en toute impartialité pour soulager la population. Les dirigeants des diverses factions transmettaient aux chefs des villages les autorisations de nous laisser passer.

Alors que nous traversions un de ces villages, notre convoi a été stoppé par quelques miliciens. Au moment où je descendais de voiture avec mon *field officer* pour voir ce qui se passait, un homme, le chef du village, s'est approché d'une des ambulances et en a ouvert une portière. Froidement, il a sorti son pistolet et a abattu un des blessés. Je me suis interposé entre lui et l'ambulance et lui ai dit, en français, que s'il devait abattre une autre personne, ce serait moi. Le chef a alors appuyé le canon de son arme contre mon front et s'est mis à crier en arabe, langue que je ne comprends pas. De mon côté, j'étais furieux et n'avais qu'une envie : venger la mort du blessé lâchement tué.

Par l'entremise du *field officer*, qui traduisait mes paroles et celles du chef du village, une interminable discussion a suivi. De toute évidence, le chef ne souhaitait pas s'en prendre à nous, mais tuer les autres blessés. Je lui répétais qu'il ne me faisait pas peur et qu'il n'avait qu'à m'abattre pour achever sa sale besogne ou nous laisser tous partir sains et saufs, les blessés, les ambulanciers, l'infirmière, le *field officer* et moi. Pendant ce temps, averti par l'infirmière qui était restée dans l'un des véhicules, le CICR faisait des pieds et des mains pour que les supérieurs de ce petit chef le rappellent à l'ordre.

Plus les minutes s'écoulaient, plus les villageois s'agglutinaient autour des ambulances. Je me rappelle m'être demandé combien de temps l'homme mettrait à baisser son arme, car sa position était plutôt inconfortable et fatigante. Je continuais à lui répéter qu'il n'était qu'un sale type et qu'il devait aller jusqu'au bout de ses actes ou nous laisser partir. Le *field officer*, tendu et visiblement peu rassuré, s'adressait sans relâche à l'homme qui me tenait en joue. De mon côté, je campais sur ma position, me fichant éperdument des conséquences. Moi aussi, j'étais déterminé à aller jusqu'au bout, et j'avais la certitude que cet homme ne tirerait pas sur moi. Au bout de 20 minutes, quelqu'un est venu lui parler, et ensuite le chef du village nous a donné la permission de poursuivre notre route.

Une fois notre cortège hors du village, j'ai remercié le *field officer* d'avoir traduit mes propos dans des circonstances si tendues et difficiles. Nous pouvions être fiers d'avoir tenu le coup. À ma grande surprise, il m'a répondu qu'il n'avait pas du tout traduit mes paroles, sinon, nous serions tous morts. Il avait au contraire supplié le chef du village de nous laisser la vie sauve! Après un instant de stupéfaction, j'ai éclaté de rire et l'ai remercié de nouveau, très chaleureusement. Ainsi, nous devions la vie non pas à ma bravade inconsciente, mais plutôt à un interprète qui connaissait mieux que moi la mentalité des belligérants.

Beaucoup de Libanais et de chefs de guerre ont eu vent de cet incident, ce qui les a incités à croire que j'étais très courageux et peu susceptible de céder à la peur et à l'intimidation. Cette « carte de visite » m'a été fort utile lors des autres missions que j'ai effectuées par la suite dans ce pays. Pourtant, ma réaction n'avait été ni un acte de bravoure ni un geste mûrement réfléchi. Elle était comparable à ce qui se passe lorsqu'on pose la main sur une plaque de cuisinière brûlante : on la retire aussitôt, par réflexe, comme si cela ne passait pas par le cerveau.

Plusieurs années plus tard, au calme et loin de l'action, je me suis demandé pourquoi j'avais eu si peu peur de mourir. Cette attitude ne me ressemblait en rien. Je n'avais pas été un enfant ou un adolescent casse-cou ni un homme bagarreur et violent. La drogue et les abus de toutes sortes ne m'avaient jamais attiré. Il était toutefois indéniable que je ne tenais pas tellement à la vie et que je manifestais des comportements autodestructeurs qui nous avaient mis en danger, dans ce village libanais, mes camarades et moi. C'est seulement alors que j'ai réalisé que ces gestes suicidaires pouvaient être des symptômes du TSPT.

En rentrant à Genève en mars 1983, après ma mission au Liban, j'ai été nommé, comme prévu, coordonnateur de la division médicale du CICR pour les zones Europe, Pacifique, Moyen-Orient et Asie. Compte tenu des conflits qui sévissaient notamment au Liban, en Israël et dans les territoires occupés, en Iran et en Irak, en Afghanistan et au Pakistan, le CICR était très actif au Moyen-Orient. En outre, le comité rendait visite à des prisonniers de guerre au Maroc et en Mauritanie. Dans la zone Asie, qui comprenait aussi le continent indien et le Pacifique, le conflit au Cambodge demeurait l'action la plus importante, mais le CICR était aussi présent en Inde, en Birmanie, au Laos, aux Philippines, en Malaisie et en Indonésie, à Timor notamment. En Europe, les activités concernaient principalement la visite des détenus politiques en Espagne et en Irlande du Nord. Ma tâche principale était de coordonner toutes les activités médicales et paramédicales du CICR et de m'assurer que sa politique soit bien comprise et appliquée sur le terrain. Pour ce faire, je passais environ la moitié de mon temps en Suisse et l'autre moitié dans les régions mentionnées plus haut.

Au siège du CICR, mes responsabilités principales étaient de prendre part à l'élaboration de la politique médicale, de définir les programmes médical et paramédical de chaque opération en collaboration avec les personnes sur le terrain, de diriger le personnel sur les lieux, de coordonner l'activité médicale avec les autres branches du CICR, d'expliquer notre politique sur diverses tribunes à travers le monde, d'assurer le suivi des budgets en collaboration avec l'administrateur médical, et, enfin, de superviser la formation du personnel médical et paramédical sur le terrain ou qui se préparait à partir en mission.

La division médicale était active et novatrice. Trois activités se révélaient très utiles sur le terrain : la « sanitation », qui couvrait les besoins en eau, le traitement des déchets, l'installation de latrines dans les camps et les bâtiments de réfugiés ou de détenus ; l'alimentation des enfants souffrant de malnutrition ou des personnes détenues ou déplacées ; et la réhabilitation des patients, notamment des amputés. Ces activités paramédicales étaient dirigées par des experts en la matière, mais je collaborais avec eux. Sur le terrain, mes responsabilités consistaient : à superviser les activités du personnel médical et paramédical, et des coordonnateurs médicaux responsables des secours et des activités liées à la détention des prisonniers de guerre ou politiques ; à réévaluer périodiquement ces activités pour les adapter à la situation ; à soutenir le personnel dans les situations d'urgence ; et, enfin, à évaluer de possibles actions du CICR dans des pays ou des zones où il était appelé à intervenir. Ce travail était passionnant et très prenant, mais je dois reconnaître que j'étais beaucoup plus attiré par le terrain que par le travail administratif, nécessaire mais ennuyeux, que je faisais à Genève.

En novembre 1983, quelques mois après la naissance de notre fils, je suis parti pour Tripoli, au Liban. Dans cette ville portuaire se trouvaient les Palestiniens fidèles à Arafat, encerclés d'une part par des forces palestiniennes soutenues par la Syrie, et d'autre part, sur la mer, par des vedettes israéliennes. Le CICR avait «neutralisé» un hôpital où se trouvaient trois équipes chirurgicales et quatre infirmières. La neutralisation d'un hôpital est une procédure qui permet au CICR de prendre sous sa responsabilité un établissement et d'y faire flotter son drapeau pour que les belligérants comprennent qu'il n'y a là ni combattants ni armes. Cela se fait normalement avec l'assentiment de toutes les parties. Je dirigeais cette mission et devais, en plus, rendre visite à deux prisonniers de guerre israéliens détenus par les troupes de l'OLP, fidèles à Arafat.

Ce conflit a été l'un des plus meurtriers auxquels j'ai assisté. Les belligérants utilisaient des armes classiques (obus et armes légères) et des missiles qui provoquaient de terribles dégâts matériels et des ravages dans les rangs des combattants. L'hôpital n'avait jamais reçu tant de blessés inopérables. C'étaient les combattants eux-mêmes qui nous amenaient leurs camarades blessés. Ils portaient souvent leurs armes et éprouvaient la plupart du temps anxiété et désespoir. Dans un lieu neutralisé, les armes étaient interdites et un *field officer* libanais demandait aux combattants de les déposer à l'entrée. Bien entendu, de nombreux civils étaient aussi hospitalisés : ils souffraient aussi des combats qui faisaient rage dans Tripoli.

Nous faisions le triage chirurgical dans une salle au rez-de-chaussée. Lui succédaient trois autres salles, chacune attribuée à une catégorie de blessés : ceux qui étaient inopérables et qui mourraient de leurs blessures ; ceux qui pouvaient bénéficier d'une chirurgie ; et ceux qui ne nécessitaient pas de soins urgents et qu'on opérerait plus tard.

Les équipes chirurgicales travaillaient au sous-sol, où nous avions aménagé trois salles d'opération. Il était impossible d'utiliser les étages supérieurs de l'hôpital à cause des destructions que risquaient de causer des bombardements. Au milieu des combats les plus intenses, on pouvait compter 30 tirs par minute de la part des assiégés et des assiégeants, ce qui rendait notre travail encore plus difficile. Les équipes chirurgicales dormaient au sous-sol et nous mangions quand les tirs se calmaient un peu – et quand nous en avions le temps.

La ville étant encerclée de toutes parts, il était très difficile d'obtenir les perfusions et les médicaments de première nécessité. Nous devions donc les réserver pour les blessés qui pouvaient en bénéficier le plus. Par conséquent, nous ne pouvions perfuser les blessés inopérables. Il va sans dire qu'une telle restriction va à l'encontre de nos principes. Chez nous, une perfusion est un soin de base accordé à tous ceux qui en ont besoin ; ce n'était malheureusement pas le cas à Tripoli.

Nous recevions du matériel au compte-gouttes, au rythme des cessez-le-feu temporaires négociés avec les belligérants par la délégation basée à Beyrouth et la sous-délégation de Tripoli.

J'avais chargé une infirmière de découper les vêtements des blessés inopérables afin de montrer à ceux qui les avaient emmenés que nous nous occupions d'eux. Pendant ce temps, une autre infirmière posait les perfusions à ceux qui pouvaient être pris en charge en salle d'opération. Par la suite, nous transférions chaque blessé dans la salle qui lui était destinée, où le calme régnait.

Quand des combattants quittent le front pour transporter à l'hôpital, à pied ou en voiture, souvent au péril de leur vie, un ou plusieurs camarades grièvement blessés, ils s'attendent à ce que le médecin et l'infirmière s'occupent immédiatement d'eux, à ce qu'on les perfuse sans tarder. Rassurés, les combattants peuvent alors retourner au combat, certains qu'ils ont confié leurs camarades à des personnes compétentes qui veilleront à ce qu'ils s'en tirent au mieux.

Souvent, la demande du *field officer* de déposer les armes à l'entrée de l'hôpital n'était pas respectée, car les combattants étaient survoltés et incapables de comprendre les consignes. Combien de fois je me suis retrouvé face à des hommes très agités, hurlant et me menaçant de leurs armes ! Cela, bien sûr, ne faisait que compliquer les choses. L'ambiance de la salle de tri était hypertendue et je devais rester le plus calme possible pour accomplir ma tâche. J'étais secondé par un *field officer* que je connaissais bien et qui faisait un travail remarquable pour apaiser les combattants.

Les premières fois que j'ai été ainsi entouré d'hommes en proie à la panique, je me suis senti prêt à exploser et à leur hurler à mon tour que j'avais besoin de calme pour travailler efficacement. Puis, au fur et à mesure que les heures, les jours et les nuits ont passé, je suis devenu totalement imperméable à toutes ces menaces et même aux gémissements de douleur. Les brancardiers accomplissaient un travail précieux en emportant les blessés dans les trois autres salles. Par moments, le vacarme était si grand que les brancardiers ne comprenaient pas mes indications (des chiffres qui correspondaient à la catégorie de chaque blessé que j'avais examiné). Les soldats hurlaient alors encore plus fort et injuriaient les pauvres brancardiers. Tout ce chaos était aggravé par le bruit des missiles, des obus, des mitrailleuses lourdes et des tirs de Katioucha (mot russe désignant un lance-roquettes multiple). Un jour, un chirurgien d'une société nationale de la Croix-Rouge a commencé à montrer des signes de décompensation : il souhaitait sortir de l'hôpital afin d'aller expliquer à Yasser Arafat comment arrêter la guerre… J'ai dû l'évacuer, ce qui a compliqué le triage jusqu'à l'arrivée d'un autre chirurgien, deux jours après.

Habituellement, en fin de journée, les combats se calmaient, ce qui nous permettait de travailler dans de meilleures conditions, de manger et de dormir. Il était important que le personnel puisse se reposer, même si les équipes chirurgicales et les infirmières devaient continuer à travailler afin de traiter le plus grand nombre de blessés possible. Je dormais peu et je le faisais aux étages supérieurs de l'hôpital, là où des obus avaient creusé des trous dans le plancher. Je me disais qu'il y avait fort peu de chances qu'un autre obus tombe exactement au même endroit. De plus, l'hôpital étant neutralisé, il n'était pas censé être la cible des combattants.

À peu près tous les deux soirs, je retrouvais Yasser Arafat en personne, puisque ses troupes détenaient deux aviateurs israéliens à Tripoli. Je devais rendre visite à ces prisonniers de guerre pour vérifier s'ils étaient traités selon les prescriptions du droit humanitaire. Nos échanges étaient brefs la plupart du temps, se limitant à l'essentiel. Arafat n'était pas du tout optimiste quant à son sort et à celui des quelque 4000 hommes qui composaient ses troupes. Ces propos ne me rassuraient pas, car cela laissait présager que le carnage auquel nous assistions s'aggraverait et que notre travail se compliquerait, mais je me gardais bien d'en aviser les personnes avec qui je travaillais à l'hôpital.

Les décès étant très nombreux dans les actions de ce type, la morgue de l'hôpital s'est vite remplie. De plus, les coupures de courant assez fréquentes contribuaient à la mauvaise conservation des cadavres. Un délégué a alors eu la brillante idée de louer des camions frigorifiques. Nous avons ainsi pu conserver les corps en attendant que les familles viennent les réclamer, ce qui n'était pas facile à faire vu les tirs incessants dans la ville, qui rendaient tout déplacement dangereux.

Le conflit a duré plusieurs semaines. L'évacuation d'Arafat et de ses troupes de Tripoli a permis de mettre fin aux hostilités. Le CICR a pu alors s'occuper plus spécifiquement des blessés moins graves qui attendaient toujours d'être opérés. Pour ma part, je suis parti pour Beyrouth afin d'y régler des questions importantes relativement aux prisonniers de guerre que j'avais régulièrement visités à Tripoli. Et ensuite je suis rentré en Suisse.

À Genève, j'ai pris connaissance des articles de presse et des images diffusées dans les médias européens et nord-américains qui traitaient des événements dont j'avais été le témoin privilégié. Cet exercice m'a donné la nausée. J'avais rencontré certains journalistes qui, pour des raisons de sécurité, se confinaient tous dans le même hôtel. Le peu qui leur était parvenu au sujet de ce qui se passait réellement sur le terrain était biaisé unilatéralement, et ils avaient rapporté ces faussetés en les saupoudrant de *human interest*, tant sur le plan du fond que de la forme. Résultat : on prenait ces informations pour la vérité historique...

J'étais au fait de cette réalité depuis le début de ma carrière, mais c'est au cours de ce conflit que j'ai pu prendre la véritable mesure de la manipulation qu'exercent certains médias. Constater l'étendue de ce pouvoir a provoqué chez moi – et provoque encore aujourd'hui – une immense indignation, même si j'essaie d'éviter de généraliser. Bien entendu, il était absolument inutile d'essayer de convaincre les personnes de mon entourage, confortablement assises dans leur salon devant leur poste de radio ou de télé, que la réalité sur le terrain était fort différente de ce que diffusaient les médias à grands coups de pathos, d'approximations et de partis pris, tant au sujet des victimes du conflit que de la situation politique ou sociale.

Par exemple, un soir, une grande chaîne télévisée française avait passé une entrevue de Yasser Arafat. Or, j'avais moi-même eu un entretien privé avec lui à Tripoli, une demi-heure avant que la télé enregistre cette entrevue. Comme je l'ai dit, Arafat était très pessimiste, puisque ses troupes semblaient perdre du terrain. Il était défait et très tendu. Je lui avais parlé des nombreux blessés civils et lui avais demandé s'il était possible de négocier un cessez-le-feu pour permettre aux habitants de la ville de respirer un peu. Quelques minutes plus tard, Arafat s'entretenait avec un journaliste français. Coiffé de son keffieh, il souriait, certain de la victoire... Dans le reportage, nulle trace des civils blessés ni de la boucherie causée par ce conflit. Aucune image, aucun commentaire au sujet de ce qui se passait réellement à Tripoli. Toutes les parties se fichaient éperdument de la réalité, car les souffrances des civils n'intéressaient personne. Il n'y en avait que pour la politique.

Je me suis tu. J'ai gardé bien au fond de moi non seulement les images, les sentiments et les ressentis liés à ce que j'avais vécu là-bas, mais aussi la frustration de ne pouvoir les communiquer à personne. J'ai tout enterré en m'accusant de faiblesse, en m'imaginant que j'étais différent des autres. Une fois de plus, je me suis isolé, refermé sur moi-même, derrière des défenses qui montaient jusqu'au ciel. À quoi servais-je si je ne pouvais faire mon travail sans m'écrouler, comme ce médecin que j'avais dû renvoyer à Genève? Comment aller à l'encontre des puissants médias pour rétablir les faits, pour s'approcher davantage de la vérité? Je m'interrogeais sur mon utilité réelle dans la société.

Un autre épisode a marqué mon séjour au Liban. Un jour, dans le sud du pays, nous avions neutralisé un hôpital pour permettre aux combattants de toutes les parties de recevoir des soins. Situé sur une ligne de front, à flanc de colline, cet hôpital flambant neuf était doté d'équipements médicaux et chirurgicaux importants, et même d'un ascenseur. Il y avait deux étages sous le rez-de-chaussée et deux étages supérieurs. Au pied de la colline se trouvaient les combattants d'un camp; au sommet, ceux de l'autre camp.

Nous y avions aménagé une salle de tri. Des équipes chirurgicales étaient prêtes à intervenir dès qu'il y aurait des blessés, mais elles ne se trouvaient pas sur place. Un délégué du CICR, une infirmière et moi étions accompagnés d'une dizaine de volontaires de la Croix-Rouge libanaise, des hommes que je respectais. Dans d'autres actions, je les avais vus s'activer sous les tirs pour ramener les blessés. Je savais pertinemment que notre position était précaire, mais nous avions le feu vert de tous les belligérants, y compris des grandes puissances qui avaient leur mot à dire, à savoir Israël et la Syrie.

Il y avait dans l'hôpital une réserve assez importante de bonbonnes d'oxygène que nous avions transportées à l'endroit le plus sûr. Je portais sur moi toutes les clés des salles de traitement et celles de la pharmacie, au sous-sol. Pendant deux jours, nous avons dû chasser des combattants isolés qui venaient se servir dans la pharmacie. Ils nous menaçaient de leurs armes pour que nous les laissions faire leurs emplettes. Mon *field officer*, un Libanais chrétien, essayait de les en empêcher, la plupart du temps sans succès. La tension était vive et nous ne dormions que quelques heures par jour.

Au bout de deux jours, les combats ont repris à l'arme lourde. Nous nous trouvions sous les tirs qui fusaient des deux côtés, mais passaient heureusement par-dessus l'hôpital. À un moment donné, ont éclaté les fenêtres de la salle où se trouvait la radio qui nous reliait au CICR, à Beyrouth. Après coup, il me fallait ramper jusqu'à l'appareil pour communiquer avec mes collègues de la délégation, qui étaient en contact avec les belligérants.

Plusieurs autres incidents semblables ont eu lieu. Et toutes ces bonbonnes d'oxygène qui demeuraient là, cachées... À plusieurs reprises, des volontaires ont pété les plombs et l'infirmière, qui chantait malgré le vacarme, leur injectait du Valium pour les calmer. Parfois, je devais en empoigner un pour le gifler et l'empêcher de sortir de l'hôpital, ce qui aurait mis sa vie en péril. Je pressais mes collègues de négocier une trêve afin que nous puissions évacuer l'hôpital.

Un jour, mon *field officer* et moi descendions du deuxième étage en ascenseur (nous venions d'expliquer par radio aux gens du CICR à Beyrouth que nous ne pourrions plus tenir très longtemps sous cette pluie de tirs). À l'ouverture des portes, au rez-de-chaussée, nous nous sommes trouvés nez à nez avec des hommes en civil qui nous ont planté leurs armes dans les côtes. Ils étaient très calmes et décidés. Leur chef m'a fermement demandé, en anglais, les clés de la salle de dialyse. Son regard exprimait une certaine sympathie à mon égard. Discrètement, j'ai allumé la radio que je portais sur moi et qui nous reliait aux autres membres de l'équipe, pour que le délégué puisse alerter le CICR. Je lui ai répondu, moi aussi avec calme, que je ne les avais pas sur moi, ce qui était un mensonge. Il m'a redemandé mon trousseau pour qu'il puisse vérifier lui-même. Je ne comprenais pas comment il pouvait savoir que je les avais sur moi, ces clés, ni comment lui et ses hommes étaient arrivés à m'intercepter dans ce grand hôpital. J'ai pensé à tout cela tout en évaluant rapidement la situation. Contrairement à ce qu'on peut croire, nous sommes calmes lorsqu'un danger nous menace, extrêmement lucides, et nous n'éprouvons aucune peur. Nous savons intuitivement ce qu'il faut faire ou ne pas faire pour assurer notre sécurité et celle des personnes avec qui nous nous trouvons.

Même si, dans mon for intérieur, j'étais furieux, je lui ai remis le trousseau de clés. Ensuite, il nous a demandé de les suivre, lui et ses hommes, jusqu'à la salle de dialyse. J'espérais naïvement que, pendant ce temps, la délégation serait en mesure de faire stopper cette intrusion qui violait toutes les conventions dont le CICR est le garant au nom de la communauté internationale. En une heure à peine, les appareils de dialyse ont été débranchés et emportés dehors, où attendaient deux véhicules. J'ai compris que ces hommes voulaient sauver ces appareils du « pillage » qui aurait forcément lieu après notre départ... Sur ce, les inconnus s'en sont allés sans rien ajouter, nous laissant, mon *field officer* et moi, muets et épuisés.

Dans les heures qui ont suivi, j'ai continué à m'entretenir avec la délégation afin d'organiser notre sortie de ce lieu. Enfin, après trois jours, le CICR a obtenu des belligérants une trêve d'une heure pour nous permettre d'évacuer l'hôpital en bon ordre, avec nos véhicules et nos drapeaux. Cela peut paraître puéril de vouloir partir lentement et en cortège, drapeaux du CICR au vent, mais pour moi et pour le CICR, cela a été une victoire. En effet, une telle sortie contribuait à maintenir le respect envers cette organisation humanitaire et son travail, même si, en l'occurrence, nous n'avions pu remplir notre mission. Au sortir de cette action, nous avons immédiatement installé un hôpital dans deux maisons prêtées par une des parties au conflit et avons pu y opérer les blessés. De l'autre côté de la ligne de front, nous avons trouvé un lieu pour opérer les blessés de l'autre partie.

Je suis rentré à Genève deux jours après la fin de cette action. Je me souviens de m'être demandé, en entendant mes pas résonner dans les couloirs de l'aéroport de Genève : « Suis-je encore en vie ? » En effet, il me semblait très bizarre de ne plus entendre le fracas des obus et des armes légères...

De retour à la maison, j'aspirais au calme et à la tranquillité. Marie comprenait ce besoin et le respectait. Je n'ai donc pas parlé de ce qui était arrivé pendant la mission. Je me suis rendu compte, plus tard, que je fuyais la vie quotidienne et tout ce qu'elle comportait d'ennuyeux et de répétitif, et je ne vivais que pour me retrouver au plus vite au cœur de l'action.

C'était comme une drogue. J'essayais de montrer à mes enfants que je les aimais du plus profond de mon être, mais j'étais plutôt maladroit dans mon rôle de père et d'époux. Que faire? Arrêter d'aller en mission et me consacrer à ma vie de famille? J'aurais été l'homme le plus malheureux sur terre si je m'y étais résolu… Du coup, il me restait une solution: continuer, et surtout ne pas me plaindre auprès de qui que ce soit.

CHAPITRE 11

En mission en Iran

En 1984, j'ai été envoyé à Téhéran, capitale de la République islamiste d'Iran alors en pleine guerre contre l'Irak. Le CICR demandait aux deux parties de lui permettre de visiter les prisonniers de guerre, mais ne parvenait pas à ses fins, malgré tous ses efforts. Les autorités iraniennes accusaient l'Irak d'utiliser des armes chimiques et le CICR avait décidé d'aller vérifier sur le terrain si c'était vrai. Au même moment, l'armée irakienne lançait des missiles Scud sur des villes iraniennes, dont Téhéran, ce qui engendrait une grande insécurité sur tout le territoire.

N'étant pas un spécialiste des effets physiologiques des gaz de combat sur l'organisme, j'ai dû vite me renseigner auprès de spécialistes renommés afin de pouvoir poser des diagnostics précis, en tenant compte des enjeux humains et politiques. Il n'était pas dans la mission du CICR de traiter les victimes, mais il lui revenait de documenter les faits pour que, sur le plan diplomatique, les États ayant signé en 1925 le Protocole de Genève (interdisant l'utilisation d'armes chimiques) respectent leurs engagements.

La pression politique était immense et nous ne pouvions nous tromper. Étant donné les enjeux et redoutant une manipulation, nous désirions agir le plus librement possible. Les négociations avec les autorités ont été âpres, mais nous avons fini par obtenir ce que nous désirions. Nous pourrions inspecter les hôpitaux sans être accompagnés d'agents téléguidés par des services capables de manipuler les preuves et de biaiser nos observations.

C'était la première fois que j'allais en Iran. Le CICR y avait une délégation qui essayait vainement d'obtenir la permission de visiter les prisonniers de guerre irakiens qui, nous le savions, étaient des milliers. Les rapports avec les autorités étaient tendus et je m'attendais à être reçu assez froidement. Ce ne fut pas le cas, puisque les Iraniens espéraient que mon intervention permettrait de dénoncer formellement les crimes de leurs ennemis.

Je m'attendais à ce que la ville de Téhéran soit totalement muselée, sous une chape de plomb, par les fameux gardiens de la révolution. J'ai été grandement surpris de constater que tel n'était pas le cas. Encore une fois, les médias occidentaux nous manipulaient habilement. Comme tout le monde, j'étais victime de cette manipulation même si je détenais des informations de première main et que j'étais en quelque sorte un privilégié, vu le poste que j'occupais au CICR. Selon la propagande des démocraties occidentales, la population iranienne était hostile aux étrangers, les contrôles par les milices spéciales avaient lieu à répétition et la possibilité de se détendre était quasiment nulle. Or, il n'en était rien! Je ne suis pas en train de dire qu'il régnait une ambiance de carnaval à Téhéran, mais les habitants étaient affables et très hospitaliers, les commerces, bien achalandés, et il n'y avait pas de groupes hostiles à tous les coins de rue. De plus, les soirées que donnaient certaines personnes étaient fort agréables et festives.

La visite des hôpitaux, organisée par les autorités, s'est parfaitement bien déroulée. La vue de certaines victimes du gaz moutarde et du sarin, dont des enfants en bas âge, a été une épreuve, même si j'avais l'habitude de côtoyer des malades et des blessés. Les douleurs dues aux brûlures étaient terribles et les médicaments antidouleur soulageaient peu les blessés. Certains se tordaient sur leur lit, pleuraient ou criaient, tandis que d'autres restaient parfaitement immobiles pour ne pas aggraver leurs souffrances.

Il m'était difficile d'être là uniquement pour constater des faits, évaluer et établir avec certitude la cause de ces souffrances. En tant que médecin, j'avais l'habitude d'agir, et le fait de déambuler parmi ces personnes en détresse, avec qui tout échange devait être traduit par un interprète, relevait à mon sens d'un voyeurisme détestable. Certes, il était important d'attester l'utilisation des gaz de combat : c'était la première étape à franchir si l'on voulait éventuellement forcer les belligérants à renoncer à cette pratique. Mais je n'étais pas dupe et savais que ma mission n'apporterait rien de constructif… Au fond, conduire une expertise n'est pas dans ma nature : en effet, l'expert ne peut commenter, ni critiquer, ni même manifester sa compassion. Il lui faut rester neutre devant le spectacle qui lui est présenté, sachant que tous ses faits et gestes seront exploités à des fins de propagande par ceux qui ont tout intérêt à le faire.

J'ai réussi, non sans mal, à tenir ce rôle. Je rentrais toutefois le soir épuisé, tendu et désillusionné. Je me rendais compte que l'enjeu était très important sur le plan politique et que je devais rester de marbre, mais au plus profond de moi j'avais envie de hurler et de dire à la terre entière que toute cette boucherie était lamentable et indigne d'êtres humains soi-disant civilisés. Je ne m'excluais nullement du lot, car, si les agresseurs et les victimes appartenaient à des nations en guerre, ce conflit était totalement exploité par toutes les autres nations, d'une façon ou d'une autre. Chacun devait assumer sa part de responsabilité, moi y compris. Bien entendu, cette frustration ne devait pas me faire dévier de l'enquête en cours. Cela m'a demandé, je l'avoue, un grand effort de volonté. Dès que j'ai pu ausculter des victimes, j'ai compris qu'on avait réellement eu recours à des gaz de combat, mais il me fallait poursuivre les visites pour affiner mes constatations et essayer de me faire une idée de l'ampleur de cette violation du droit international.

Après quelques jours, le chef de délégation et moi étions abasourdis par tout ce que nous avions vu. Il était bon de pouvoir discuter de tout cela à cœur ouvert avec lui. Des produits chimiques toxiques avaient été employés à large échelle, non seulement sur des soldats, mais aussi sur des civils, et nous nous demandions quoi faire de ce constat accablant. La vie nocturne de Téhéran n'étant pas des plus animées (du moins, pas à notre connaissance!), nous avions tout le temps d'échafauder des scénarios tout en sachant que la ligne directrice du CICR serait de dénoncer directement la situation aux parties en conflit, sans utiliser la voie publique. Les communications avec Genève étaient limitées, car nous nous savions sur écoute et hésitions sur la conduite à suivre. Notre fougue et notre révolte nous poussaient à dénoncer, en Iran même, cette violation du droit, mais nous nous doutions que cela ne serait pas du goût du CICR ni, bien évidemment, de celui des Irakiens et de ceux qui soutenaient le régime en place là-bas.

Lors de ce séjour à Téhéran, je restais à la délégation du CICR, dans le centre de la capitale. Des Scud, ces gros missiles balistiques, tombaient sur les villes iraniennes qui étaient à leur portée. La radio officielle annonçait les attaques imminentes. La précision des tirs laissant à désirer, ces missiles pouvaient tomber n'importe où. La population était fréquemment appelée à s'abriter, ce qui créait des embouteillages monstres, car tous les véhicules tentaient de trouver refuge sous les ponts, par exemple. En compagnie de certains délégués aguerris du CICR, je montais sur le toit de notre immeuble quand les Scud approchaient. Ces engins étaient très bruyants et nous pouvions les voir venir à l'œil nu. L'un d'eux, un jour, après être passé près de nous, s'est écrasé dans le périmètre d'une ambassade proche de notre délégation. Mes collègues et moi nous demandions si nous serions la prochaine cible.

J'ai ainsi passé quelques heures sur le toit avec mes collègues, tout à fait insouciant, ce qui peut paraître totalement irrationnel. Mais nous profitions du moment présent, acceptant de voir la mort arriver. Étions-nous fous, ou suicidaires ? Peut-être un peu des deux, mais j'en connais aujourd'hui les raisons. Ayant trop souvent côtoyé la mort, nous n'en avions plus la même vision. Et nous ne savions comment évacuer les émotions intenses qu'elle avait provoquées en nous.

Au terme de notre mandat, le CICR de Téhéran a dénoncé dans un communiqué l'utilisation des gaz de combat dans cette guerre, ce qui était fort inhabituel pour lui. Le chef de délégation et moi avions pris cette décision sans l'approbation formelle de Genève. Cette dénonciation n'a pas plu à certains dirigeants du comité. À mon retour à Genève, j'ai dû essuyer leurs remontrances. Je pensais que cela leur aurait fait du bien d'être aspergés par ces gaz, qu'ainsi ils en constateraient les effets !

Jusque-là dans ma vie, je n'avais jamais frappé personne ni même donné une tape ou une fessée à l'un de mes enfants.

Mais je me rendais compte, par moments, que j'éprouvais de fortes envies de meurtre quand j'étais témoin de scènes insoutenables ou que j'entendais des propos déplacés ou insultants. Une telle violence m'inquiétait, mais je refusais d'y songer longtemps. Je la refoulais le plus loin possible pour l'oublier jusqu'à l'épisode suivant. Au fond, je la retournais contre moi en me culpabilisant de ne pas avoir pu faire mieux avec les moyens dont je disposais. Ma raison me disait que je ne pouvais en faire plus, compte tenu du poste que j'occupais; mais mon âme souffrait de ne pouvoir crier sa détresse et sa colère. Comme il fallait s'y attendre, à la suite de notre mission en Iran la communauté internationale n'a rien entrepris pour faire cesser cette violation grave du droit international humanitaire, et l'Irak a continué à utiliser les gaz de combat contre les villageois iraniens…

Un peu plus tard, je suis retourné en Iran afin d'évaluer les besoins en aide médicale et en secours des milliers de Kurdes iraniens déplacés à cause de la guerre. Ceux-ci se trouvaient dans une région difficile d'accès, où les ressources manquaient – eau potable, nourriture, tentes et soins médicaux élémentaires. Le Croissant-Rouge iranien faisait de son mieux pour aider cette population, mais il avait demandé au CICR de fournir du matériel de façon substantielle.

Avant d'aider qui que ce soit, le CICR évalue la situation pour que cette aide soit adaptée aux besoins réels et puisse profiter aux victimes, sans être détournée à d'autres fins. Le CICR tient aussi compte des compétences des personnes qui recevront les médicaments à distribuer aux victimes. Ces personnes ont-elles ou non une formation médicale? Si oui, comment les ressources seront-elles distribuées? Les victimes retourneront-elles chez elles avec une réserve de médicaments ou devront-elles venir chercher leur dose chaque jour pour éviter l'écoulement sur le marché noir ? Cette façon de faire a trop souvent pour conséquence de favoriser une résistance des agents pathogènes aux médicaments dans les régions perturbées par les conflits. Il faut absolument en tenir compte.

Ce travail d'enquête est capital avant toute action sérieuse d'aide humanitaire. Il est aussi passionnant. Je l'ai conduit avec des membres du Croissant-Rouge iranien et, bien évidemment, avec des d'accompagnateurs zélés du gouvernement qui voulaient surtout m'empêcher d'en apprendre trop sur certains sujets. Ils veillaient donc à ce que je ne m'entretienne pas trop avec la population. Mais alors, comment connaître les besoins réels si le contact avec les victimes n'est établi que par le truchement de quelques représentants de la communauté, qui ont été nommés par les autorités et peuvent leur être inféodés ?

Ayant l'habitude de ces enquêtes, je parvenais assez facilement à déjouer ce genre d'obstacles. Toutefois, en Iran, cela a été particulièrement difficile. Il m'a fallu palabrer avec les autorités pendant une demi-journée pour obtenir ce que je désirais. Cela dit, j'ai été aidé par le fait que les membres de cette équipe gouvernementale étaient au courant des résultats obtenus pour leur pays à la suite de mon enquête sur les gaz de combat. Le lendemain, tout est rentré dans l'ordre et j'ai pu effectuer mon travail à peu près librement.

L'enquête se déroulait bien et j'obtenais un excellent soutien d'un des membres du Croissant-Rouge avec lequel j'avais sympathisé et beaucoup discuté lors des soirées que nous passions ensemble dans le lieu qui nous servait de résidence. Un jour, alors que nous arrivions tous les deux devant une tente, sans être accompagnés de nos anges gardiens, un Kurde d'une quarantaine d'années nous a fait signe de nous approcher. Il avait l'air angoissé et très tendu. Nous avons commencé à discuter avec lui et, à un moment donné, pendant que mon camarade du Croissant-Rouge traduisait ses propos, l'homme nous a fait signe d'entrer dans la tente. Deux jeunes filles, qui pouvaient avoir 15 ans, étaient assises à même le sol et nous fixaient des yeux, hagardes et prostrées. J'ai su immédiatement qu'elles avaient été battues et violées. Leurs yeux vides et leurs tremblements à ma vue étaient des signes évidents.

L'homme nous a demandé de faire quelque chose pour elles. L'une était sa propre fille. Chaque nuit, depuis une quinzaine de jours, les soldats abusaient d'elles, et il n'avait pas le droit d'en parler. Qui plus est, il devait les obliger à rester dans sa tente, sous peine qu'on les tue, lui et sa fille, les seuls survivants de la famille. Cet homme était à bout de nerfs, désespéré, et les deux filles, totalement anéanties par leur calvaire. J'avais le cœur serré et je sentais la colère sourdre en moi ; je revivais exactement le même cauchemar qu'en Thaïlande. Combien de fois me faudrait-il être le témoin impuissant de telles horreurs ? Combien de regards si souffrants un homme peut-il affronter sans y laisser son âme ?

Nous avons dit à ce pauvre homme que nous tenterions de leur venir en aide et sommes ressortis de la tente. Nos anges gardiens se rapprochant, nous avons pénétré dans d'autres tentes en faisant mine d'examiner leurs équipements. Nous n'avons pu parler de ce que nous avions vécu avant de nous retrouver à table, mon camarade et moi. Je savais au fond de moi que nous ne pouvions rien faire pour le père et les deux jeunes filles, et il le savait aussi, mais nous tenions à en discuter.

Nous n'avons rien mangé, parce que ce que nous portions en nous nous coupait l'appétit. À un moment donné, mon compagnon s'est mis à pleurer. De mon côté, j'étais incapable de la moindre émotion. J'étais pourtant en colère, prêt à prendre une arme et à tirer sur les ignobles individus qui s'adonnaient à de telles bassesses, prêt à les regarder mourir à petit feu... J'ai serré mon camarade dans mes bras afin qu'il puisse pleurer à chaudes larmes. Je ressentais sa douleur et sa tristesse, mais rien ne venait de mon côté, sinon le visage de ces deux jeunes filles et de toutes celles que j'avais vues souffrir des mêmes atrocités, en Thaïlande et ailleurs. Toutes mes tentatives pour les aider s'étaient soldées par un échec; j'avais été impuissant à soulager leur détresse.

Après en avoir longuement parlé, nous avons décidé de partager cette information avec les représentants du gouvernement qui venaient le jour même pour discuter des modalités de l'aide que je recommanderais à Genève. Lorsque nous avons atteint le camp, nous avons appris qu'un homme et deux jeunes filles avaient été égorgés dans leur tente. Nous savions qui étaient ces personnes...

Comme prévu, j'ai exposé aux représentants du gouvernement, sans émotions apparentes, le programme d'aide que le CICR était prêt à mettre en œuvre. Nos interlocuteurs ont bien accueilli ce plan. Je suis ensuite rentré à Téhéran, puis à Genève.

La raison et le cœur se sont affrontés en moi pendant tout le voyage de retour. Je savais que nous n'aurions rien pu faire pour le pauvre homme et les deux jeunes filles, que toute initiative était vouée à l'échec et n'aurait, au mieux, que retardé l'échéance fatale. Jamais ces deux filles n'auraient pu bénéficier du soutien psychologique que nécessitait leur état.

Peut-être, tout compte fait, valait-il mieux qu'elles soient mortes. Mais mourir égorgées, c'était intolérable ! Que faire, en pareil cas ? Lancer une expédition punitive contre les tortionnaires ? Qui donc d'abord étaient ces assassins ? Et pourquoi les autres réfugiés n'avaient-ils pas réagi ? Pourquoi ? Pourquoi ? Pourquoi ?

Dans l'avion, je me disais : « Oublie tout ça, ce n'est qu'un cauchemar. Tu rentres chez toi, tu vas retrouver la petite et la grande Marie, Cécile et Laurent. Réjouis-toi plutôt que de remuer tout cela dans ta tête. Mange et bois ce qu'on vient de t'apporter sur un plateau. Regarde le beau sourire de l'hôtesse de l'air. Respire ! Essaie de ne plus penser, de ne plus réfléchir. Faudra-t-il parler de cet événement dans ton rapport de mission ? Non, car cela n'a rien à voir avec ce que les autorités attendent, et, de toute façon, personne ne peut plus rien y faire ! Mais alors, à quoi sert ce travail que tu fais ? À sauver d'autres victimes, un bien plus grand nombre de victimes que ces deux pauvres jeunes femmes violées qui, de toute façon, auraient été mises au ban de leur société. En définitive, peut-être vaut-il mieux qu'elles soient mortes. Mais pourquoi ? Pourquoi ? »

L'avion a atterri. J'ai retrouvé ma famille, mes amis, mon bureau, mes collègues et mes dossiers. J'ai rédigé mon rapport de mission et mes supérieurs ont accepté l'action que je proposais. Le camp des Kurdes déplacés a pu bénéficier de l'aide du CICR, au nom de la communauté internationale. Et nul n'a jamais plus entendu parler de ces deux jeunes filles violées et égorgées. Mais je les ai longtemps portées en moi, elles et toutes celles dont j'ai croisé la route.

Encore aujourd'hui, je ne peux me résoudre à les oublier.

CHAPITRE 12

Dans les yeux
des enfants d'Éthiopie

En 1984 et 1985, une famine touchant huit millions de personnes a sévi en Éthiopie. Le CICR était très actif dans ce pays et, en 1985, on m'a demandé d'aller sur place, pendant une courte période, pour prêter main-forte à une action difficile. Un des trois médecins qui assuraient le triage avait dû quitter les lieux plus tôt que prévu, pour cause d'épuisement professionnel. En attendant l'arrivée d'un autre médecin, quelqu'un devait vite aller les aider.

Le CICR avait établi des centres de nutrition pour soulager les souffrances de milliers d'enfants menacés de mourir de faim. On les hébergeait et on les nourrissait pour les ramener à un niveau nutritionnel qui leur permettrait de survivre. Les enfants étaient bien entendu accompagnés de leur mère, et ces femmes étaient aussi nourries de leur côté. Les centres avaient cependant une capacité limitée, d'où l'importance d'un triage efficace, où l'on ne sélectionnait que les enfants qui avaient de réelles chances de survie.

Nous savions que nous ne pouvions accepter qu'une dizaine d'enfants par jour. Or, la file devant le lieu de triage était immense et pouvait compter jusqu'à 700 mères, peut-être 1000… Chacune savait pertinemment que si on la refoulait, son enfant mourrait. Ces femmes avaient marché des dizaines de kilomètres sur des chemins poussiéreux, la faim au ventre, et attendu de longues heures sous le soleil pour se retrouver devant moi. J'avais deux minutes, tout au plus, pour accepter l'enfant dans le centre ou le renvoyer à une mort certaine.

Mes critères étaient simples et je ne pouvais y déroger : la vie d'enfants ayant de véritables chances de survie était en jeu. Ce droit de vie ou de mort était ma responsabilité, mon fardeau. Ce pouvoir immense, il me fallait le mériter. Je n'avais tout simplement pas droit à l'erreur.

Quand on effectue un triage chirurgical, il s'y trouve généralement une grande diversité de personnes : il y a des enfants, certes, mais aussi beaucoup d'adultes, civils ou combattants. En Éthiopie, il n'y avait que des enfants. Cela changeait toute la perspective. Un adulte est censé être responsable de ce qui lui arrive, même si ce n'est souvent pas le cas. Il est mieux armé pour fuir, se défendre ou riposter à ceux qui l'agressent. Un enfant est totalement dépendant des adultes. Sa situation est simple : totalement soumis, il ne peut que subir les événements. Un enfant est, à mes yeux, la victime dans sa définition la plus pure. Il souffre parce que les adultes se font la guerre, affament la population, pillent, violent et s'entre-tuent. Les victimes sont toujours les mêmes : les enfants. Le simple fait de me retrouver devant une multitude d'enfants souffrants était une véritable torture. J'aurais aimé les sauver tous, car aucun ne méritait ce sort. Ils étaient destinés à grandir, à s'amuser, à profiter de la vie. Pas à mourir.

Chaque enfant apparaissait devant moi dans les bras de sa mère au visage émacié, elle aussi dénutrie. Elle ne disait rien, ou bien quelques mots que je ne comprenais pas. Mais son langage corporel était une supplique explicite : « S'il te plaît, prends-le et fais en sorte qu'il vive ! »

Presque chaque mère me mettait son enfant dans les bras pour m'inciter à le garder et à le sauver. L'enfant me regardait de ses yeux démesurés. Ce regard me transperçait; c'était insupportable. J'avais envie de partir, de me laver les yeux, de crier, de faire cesser ce cauchemar. Cauchemar qui se répétait pourtant jour après jour, une fois, deux fois, dix fois, cent fois, mille fois… Jusqu'à ce que les mots perdent leur sens, que les émotions s'éteignent comme la flamme d'une bougie. Jusqu'à ce qu'il ne reste plus rien.

Je savais très vite si l'enfant avait ou non des chances de survie. Quelques secondes suffisaient. Le temps se fige, alors. Dans les secondes qui suivaient la décision, tout était dit, compris, dans un dialogue fait de silence et de respect de part et d'autre. L'enfant continuait à me regarder, les yeux de la mère me disaient qu'elle avait compris. Puis je dirigeais délicatement la mère et l'enfant vers un employé du CICR qui leur demandait de rentrer chez eux ou dans le camp où ils avaient trouvé refuge.

Parfois la mère se retournait pour s'assurer que ma décision était sans appel. Je fuyais son regard. Aucune haine, aucune colère, parfois quelques pleurs, mais, dans l'ensemble, un grand respect et une compréhension venus d'au-delà des mots. Tout cela était presque beau : une relation humaine calme, sereine et empreinte de considération mutuelle. En même temps, une violence immense, indéniable : un enfant allait mourir, un enfant qui n'avait rien demandé, si ce n'est le droit à vivre, et ce droit lui était refusé à cause d'un conflit ignoble provoqué par des adultes irresponsables. Et c'est moi qui lui signifiais ce refus…

Que ressentais-je ? Rien ! À quoi pensais-je ? À être efficace ! J'étais dans l'action, comme une machine. Mon cerveau enregistrait les réactions, les regards et les attitudes, mais je ne pouvais faire face à ce traumatisme, ni fuir, ni m'en défendre. Je me figeais sur place au lieu de fuir ou d'exploser. Et, devant moi, les petits condamnés se succédaient, les uns après les autres…

Les jours et les nuits se suivaient et se ressemblaient. J'avais l'impression de vivre un cauchemar qui n'en finissait plus. Je me couchais, je me levais, je mangeais, je riais avec mes collègues, les nutritionnistes et les infirmières, car la vie est ainsi faite : quand on côtoie la mort, on a envie de se prouver qu'on est encore vivant. Alors, j'essayais – et y parvenais souvent – de vivre cette existence de la façon la plus pleine possible. C'est ainsi que je parvenais à ne pas devenir un parfait robot, que je scellais un pacte avec la vie plutôt qu'avec la mort. Mais, petit à petit, je me transformais en un être sans émotions, froid, distant et cynique. Je perdais ce qui fait la beauté d'un être humain : ses sentiments, sa chaleur, sa sensibilité et son humour.

Je suis rentré à Genève six semaines plus tard. J'y ai retrouvé ma famille, mes enfants en bonne santé, qui avaient à manger et à qui je souhaitais le meilleur. Allais-je les emmener à la montagne ou à la mer pendant les vacances ? Inviterions-nous des amis ou non ? Je vivais ce décalage avec une sorte de détachement qui frisait l'autisme.

Pas plus cette fois que les autres, je n'ai partagé avec Marie ma détresse. Elle n'aurait pu, malgré la meilleure volonté du monde, comprendre l'ampleur de l'expérience si traumatisante que je venais de vivre. Et elle aurait eu raison de me ramener à cette autre vérité : de notre côté du monde, nous avons aussi des problèmes et nous devons les résoudre de la meilleure façon pour notre bien-être et pour celui de nos proches, nos êtres chers…

CHAPITRE 13

Flashback à Londres

Dans certaines provinces des Philippines, des mouvements de guérilla faisaient régner une grande tension. Ils commettaient des exactions à Mindanao et dans d'autres îles du sud de l'archipel. L'armée nationale les combattait et les populations civiles souffraient de ces affrontements. Les personnes déplacées n'étaient plus en mesure de cultiver les champs et se retrouvaient parfois sous les tirs croisés des belligérants. Les régions pauvres nécessitaient un soutien humanitaire pour éviter que la situation ne tourne à la famine. Le CICR y avait élaboré une action passionnante dont j'étais responsable à titre de coordonnateur médical de la zone Asie-Pacifique, et je me rendais assez souvent sur place pour superviser cette opération.

Lors d'une de ces missions, en février 1986, dès mon arrivée à Manille je suis allé déjeuner avec toute l'équipe du CICR. Tout à coup, le restaurant s'est vidé de tous ses clients. Il ne restait plus que nous. Nous avons demandé au patron ce qui se passait. Il nous a expliqué que la population se rassemblait dans les rues, car il semblait que le président Marcos et Imelda, son épouse, avaient quitté le pays. Le peuple, ses opposants politiques et l'armée avaient finalement eu raison de lui et l'avaient poussé à l'exil. Nous avons eu ce jour-là la chance incroyable de vivre en direct un changement de régime. Contrairement à bien d'autres cas, cela s'est effectué en douceur. La population, à laquelle nous nous sommes mêlés, était euphorique. Les rues étaient en liesse ; partout, la joie éclatait et le soulagement était palpable. Les Philippins entrevoyaient enfin l'espoir d'un avenir meilleur.

Pourquoi rappeler cet épisode, certes historique, mais qui ne comporte pour une fois ni morts, ni blessés, ni même violence ? Parce que, une fois de plus, j'ai vécu sans rien ressentir ce qui aurait dû être, même pour moi, un grand moment d'euphorie. L'événement était absolument sensationnel et l'effet d'entraînement aurait dû suffire à allumer en moi une étincelle. Mais rien : je n'éprouvais ni bonheur ni joie pour ce peuple dont j'avais pourtant mille fois constaté les souffrances. Je regardais tout cela comme si j'étais devant mon téléviseur, incapable de me détendre.

Les jours suivants, j'ai effectué ma mission dans les provinces du Sud. J'y ai rencontré beaucoup de Philippins très fiers, à juste titre, de cette révolution qui s'était déroulée sans effusion de sang. Mais je n'arrivais pas à partager leur allégresse. Au fond de moi, je ne ressentais qu'une profonde lassitude…

En juillet 1986, après six ans passés à parcourir la planète pour le compte du CICR, j'ai pris une année sabbatique. J'avais le projet d'aller étudier à Londres, dans une école réputée, la London School of Hygiene & Tropical Medicine. Le CICR s'était engagé à payer cette année d'études, car un médecin détenant un master dans cette discipline serait un plus pour l'organisation. Il fallait toutefois que je sois admis à cette école, ce qui n'était pas gagné. En effet, des centaines de personnes soumettaient chaque année leur candidature, mais seulement une trentaine étaient choisies sur des critères assez obscurs aux yeux des observateurs. J'ai eu la chance d'être sélectionné, alors que les CV de certains autres postulants me semblaient nettement plus impressionnants que le mien. J'en ai été satisfait, à défaut d'en être content ou fier, car mon état d'esprit n'était plus à la joie depuis longtemps. Je n'ai pas trop compris les raisons qui m'avaient valu d'être retenu, mais, quoi qu'il en soit, la décision de l'école faisait parfaitement mon affaire.

Après quelques semaines de vacances passées avec ma famille, que je retrouvais chaque fois avec le sentiment de revenir aux sources, je me suis retrouvé seul à Londres pour entreprendre ces études postdoctorales, en anglais, évidemment. En parallèle, j'avais eu l'idée de me lancer avec quelques collègues dans la rédaction d'un manuel de chirurgie de guerre pour le compte du CICR qui m'avait donné carte blanche. J'avais donc pris contact avec des chirurgiens de guerre de haute volée, qui avaient tous une expérience importante dans le cadre des actions du CICR et qui occupaient des postes clés, bien souvent dans la hiérarchie militaire de leur pays respectif. Le travail de coordination et d'édition exigeait beaucoup de temps, mais les liens qui nous unissaient (car nous avions œuvré dans les mêmes actions) m'apportaient beaucoup de bonheur.

J'étais donc à Londres, au calme pour la première fois depuis plusieurs années, dans un lieu superbe situé derrière Victoria Station. Je travaillais beaucoup, car reprendre des études après un long moment de vie active n'est pas facile. Je me plongeais dans la vie londonienne résolument urbaine, ce qui était fort agréable et me changeait de ce que j'avais vécu lors de mes séjours en Asie, en Afrique et ailleurs. Je rentrais en avion à Genève tous les 15 jours afin de retrouver mes enfants et mon épouse.

Me retrouver seul dans un pays tel que l'Angleterre était à la fois sympathique et déstabilisant. En effet, je n'y connaissais personne et ne fréquentais que les étudiants suivant le même cursus que moi, qui venaient de divers pays. J'ai eu la chance de sympathiser avec un médecin anglais, ce qui m'a permis de fréquenter des lieux quasi inaccessibles aux étrangers. En effet, sous des dehors très polis, les Anglais restent distants et ne partagent pas tout avec ceux qui viennent d'ailleurs.

Les professeurs, excellents, avaient tous la même attitude envers leurs étudiants triés sur le volet. Dans un premier temps, ils se disaient honorés de se trouver devant de grands spécialistes qui leur feraient bénéficier de leur expérience de terrain. Mais ces flatteries ne duraient guère : grande expérience ou pas, il fallait travailler fort pour obtenir le master !

Je me suis plongé à fond dans ces études qui pourtant ne me passionnaient guère, car j'ai toujours eu de la difficulté avec la théorie. Mais je désirais relever le défi et me prouver que j'en étais capable. Une certaine joie de vivre me revenait petit à petit et je me gardais bien de parler de mes expériences de terrain à qui que ce soit. J'avais l'impression de réintégrer une vie civile abandonnée depuis longtemps, de vivre de nouveau une certaine routine qui me faisait du bien et me sécurisait, alors que j'avais cru détester cela et ne pas en avoir besoin.

Très rapidement, je me suis désintéressé des nouvelles au sujet des conflits que je connaissais bien. D'une part, je les savais biaisées au point qu'on ne pouvait s'y fier, et, d'autre part, je ne voulais plus entendre parler des guerres et de la souffrance, comme si le fait de m'y replonger, même de loin et superficiellement, me mettait mal à l'aise. De temps en temps, je recevais un coup de téléphone des collègues du

CICR qui me demandaient des renseignements ou désiraient discuter avec moi de telle ou telle action. J'abrégeais le plus possible nos échanges. Mon attitude m'étonnait, mais je l'attribuais à mes études qui m'absorbaient et me demandaient beaucoup de temps et d'efforts.

Peu après une conversation avec un collègue qui participait à la rédaction du manuel de chirurgie de guerre, j'ai commencé à éprouver un malaise. J'étais seul dans mon appartement, je me sentais oppressé, la poitrine comprimée, et je transpirais beaucoup. Je ne comprenais pas ce qui m'arrivait; je n'avais jamais vécu de crise d'angoisse ou d'anxiété, même aux pires moments de ma carrière. Je sentais confusément que quelque chose d'inhabituel se préparait.

Quelques minutes plus tard, des souvenirs sont remontés par vagues irrépressibles à ma mémoire : des visages, un grand nombre de visages, ceux des blessés de guerre que j'avais triés lors d'une action au Liban. Je distinguais chacun d'eux de façon absolument parfaite, avec le sentiment de les avoir regardés pendant des heures, alors qu'en réalité je ne les avais vus que quelques minutes. Je m'étonnais de la précision et de la netteté de ces visions, comme si j'avais croisé ces gens le jour précédent, alors que cet épisode s'était déroulé plusieurs années auparavant. Le silence régnait dans la pièce et je n'entendais aucun cri comme il y en avait eu au Liban. Seuls ces visages défilaient les uns à la suite des autres. L'absence de tout bruit ajoutait à l'irréalité du moment.

Ces visages ne m'accusaient de rien et me regardaient sans porter l'ombre d'un jugement. C'étaient les visages tels que je les avais vus lors du triage. Je ne peux dire combien ont ainsi défilé devant moi, mais je sais que leur nombre était impressionnant. Ils étaient là, sous mes yeux, tous vivants encore.

Combien de temps cela a-t-il duré? Je l'ignore. J'étais à la fois abasourdi, effrayé et totalement démuni. Des sons sortaient de ma gorge, qui n'étaient ni des cris ni des pleurs; plutôt des râles, comme ceux d'une bête blessée, l'expression d'une vertigineuse souffrance qui ne semblait pas pouvoir s'arrêter. Ma poitrine et mon ventre étaient grand ouverts, j'avais l'impression d'avoir un trou béant dans le corps, insupportable, douloureux. Plus que tout, je voulais que cesse cette procession de visages, mais j'étais incapable d'y mettre fin.

Puis le cortège a stoppé brusquement, sans raison. Après cet épisode, je suis resté hébété pendant de longues heures, totalement épuisé. Il régnait dans ma tête un désordre total, où la raison tentait sans grand succès de reprendre le pas sur les émotions. Je me reprochais à voix haute d'avoir tué ces pauvres gens, les uns après les autres, de ne pas avoir été suffisamment bon pour les sauver et les aider à survivre à leurs blessures. J'essayais de me convaincre que j'avais fait de mon mieux avec les moyens à ma disposition, puis les remords et les jugements dévalorisants reprenaient le dessus, et tout recommençait dans une ronde infernale.

Je ne comprenais pas ce qui m'était arrivé. Je ne voyais aucune logique à cela: j'étais tranquille, à Londres, loin des champs de bataille, je ne pensais pas du tout à ces scènes de triage, et, soudainement, sans aucun avertissement, ces visages dont je croyais n'avoir gardé aucun souvenir avaient surgi avec une netteté hallucinante dans ma mémoire. Pourquoi eux et pas d'autres? Pourquoi étaient-ils si nets, si précis? Qu'avais-je fait pour que cela se produise?

Je me suis rappelé ce qui m'était arrivé un jour à Karachi, lorsque j'avais revécu avec une grande intensité la mort de la petite fille que j'étais allé chercher dans le champ de mines.

J'ai alors commencé à entrevoir que ce phénomène de reviviscence devait être lié à ce que j'avais vécu sur le terrain. Je savais intuitivement que ce qui venait de m'arriver n'était pas à prendre à la légère, mais je n'avais aucune envie de creuser, car je pressentais que j'allais tomber sur quelque chose d'important.

Je me suis levé le lendemain matin comme si j'avais une gueule de bois, et avec la crainte de voir ressurgir ces visages et de revivre une telle scène. Mais, fort heureusement, cela n'est pas arrivé. Je n'ai parlé à personne de cet épisode, et ce, pour deux raisons : je ne voyais pas très bien à qui j'aurais pu m'adresser ; et j'éprouvais une certaine honte de ce qui m'était arrivé. Je me suis convaincu que cela ne se reproduirait plus. Bien que médecin moi-même, je n'ai pas su mettre un nom sur cet étrange retour en arrière. Les cordonniers ne sont-ils pas les plus mal chaussés ?

Quelques mois plus tard, alors que je me trouvais dans un pub à Londres, j'ai ressenti de nouveau de l'oppression au niveau de l'estomac, des bouffées de chaleur et un vide béant apparaître dans la poitrine. Je n'avais pourtant pas bu beaucoup ; l'alcool n'avait donc rien à voir avec ce qui m'arrivait. Je savais cette fois ce qui se préparait… De nouveaux visages ont commencé à défiler. Par un effort de volonté, je suis parvenu à interrompre leur cortège assez rapidement, car je me trouvais dans un lieu public et voulais éviter de me donner en spectacle.

Comme la première fois, je n'ai pas compris ce qui m'arrivait ni pourquoi cela se produisait. Juste avant que les images ne remontent brusquement à la surface, le barman avait cassé d'un coup plusieurs chopes de bière ; c'était le seul événement perturbateur que je pouvais identifier. Je me suis dit que si un bruit de ce genre générait une telle réaction chez moi, alors que j'avais vécu sous les bombes et dans le crépitement des armes légères, cela signifiait que je devenais peureux et que j'étais beaucoup trop sensible. Je me suis dit qu'il était impératif que je devienne plus fort et que je cesse de me comporter comme une mauviette.

Certains de mes collègues médecins-étudiants me demandaient parfois ce qu'avait été mon travail dans les pays où j'avais œuvré pour le CICR. Je leur répondais le plus souvent par une pirouette, assortie d'une question en retour, pour ne pas avoir à parler de mes expériences. Ou je parlais de mes visites aux prisonniers politiques, ce qui n'avait pas été l'une de mes principales activités.

Je me rendais compte que je ne désirais pas évoquer les moments éprouvants que j'avais vécus et que ce refus s'était raffermi depuis les deux épisodes de reviviscence des visages. J'avais des excuses toutes faites : d'une part, les mots ne me semblaient ni adéquats ni assez forts pour rendre compte de la réalité ; d'autre part, je me disais qu'on me questionnait plus par curiosité que par intérêt réel. Le sujet était pour moi trop grave et trop important pour être réduit à des généralités ou à des descriptions susceptibles de satisfaire le voyeur qui sommeille en chacun de nous.

Le cynisme était une autre façon de me défiler. J'y excellais. Je commentais souvent de façon brutale et impertinente les discours des gens qui parlaient de politique ou des conflits armés. Je jouais au mec fort qui en a tellement vu qu'il est devenu insensible à la misère du monde. Je dois reconnaître que cela m'amusait de tromper mon entourage. Un jour, un ami m'a dit que je me créais des défenses pour ne pas souffrir davantage. Je lui ai bien évidemment répondu par la négative, tout en m'efforçant de ne pas éclater en sanglots. Je lui suis reconnaissant de ne pas avoir insisté et d'avoir très élégamment changé de sujet ! Bien sûr, au plus profond de moi, je redoutais plus que tout que d'autres scènes de reviviscence ne remontent à ma mémoire.

Un soir, en rentrant chez moi après un cours, j'ai reniflé une odeur particulière dans la rue. En quelques secondes, je me suis senti de nouveau oppressé, le ventre noué, suant à grosses gouttes. J'ai immédiatement compris que cette odeur évoquait celles qui m'avaient tant marqué dans les camps de Sabra et de Chatila. Je suis rentré précipitamment afin de ne pas m'effondrer en pleine rue. Fort heureusement, cette fois-là, aucune reviviscence n'a eu lieu. Mais je me suis tout de même senti épuisé et abattu. Je suis resté prostré pendant des heures, l'esprit vide, comme si je flottais au-dessus de mon corps et que je le regardais souffrir. J'étais spectateur de la détresse de cet être, mais ne pouvais rien faire pour l'aider. Je ne ressentais aucune empathie pour lui, ni antipathie non plus. Je le voyais, là, misérable, et me demandais combien de temps cette vision allait durer. Petit à petit, je suis revenu à moi et j'ai pu aller me coucher.

Le lendemain matin, je me suis levé incrédule quant à ce que j'avais vécu la veille. J'éprouvais un certain soulagement d'avoir réussi à surmonter ce mauvais moment, mais je ne suis jamais retourné dans la rue où j'avais humé cette odeur. J'ai compris, quelques mois plus tard, que ce que j'avais alors vécu s'appelle une « dissociation », autre symptôme classique du TSPT.

Chaque fois que des images de guerre ou d'enfants dénutris passaient à la télévision, je zappais immédiatement. Si je ne le faisais pas, je ressentais très vite le vide dans mes entrailles. Un jour, je suis allé voir un film d'action au cinéma. Alors que le héros était dans une situation difficile et qu'il se préparait à supprimer la personne qui lui faisait face, les symptômes habituels se sont manifestés. J'ai immédiatement quitté la salle pour rentrer chez moi au plus vite. Mais je n'ai revu aucun visage cette fois-là, à mon grand soulagement.

Tout cela me laissait sur le qui-vive et je ne dormais plus que quelques heures par nuit. J'en profitais pour poursuivre la rédaction du manuel de chirurgie de guerre. Parallèlement à ce travail, je préparais ma thèse de master en étudiant la façon dont les évaluations étaient conduites sur le terrain par les organisations humanitaires (les agences onusiennes, le CICR, Médecins sans frontières et Oxfam, par exemple). Les conclusions de mon étude étaient assez critiques. Je proposais une méthode susceptible d'améliorer ces évaluations initiales et surtout de déboucher sur une plus grande efficacité des actions qui suivraient. Cette thèse s'intitule *Rapid Assessment and Decision-Making in Emergency Situations*. Je l'ai écrite en toute liberté, avec honnêteté, sans me douter que ce travail, qui a été accepté par le collège des professeurs avec force louanges, serait un jour utilisé contre moi par certaines personnes mal intentionnées au sein du CICR…

L'avant-veille de mes examens finaux, mon supérieur au CICR m'a fait la surprise de me rendre visite à Londres. Il souhaitait discuter de mon avenir et savoir comment j'allais. Je me réjouissais de le revoir et j'ai trouvé son initiative fort sympathique. Au cours du dîner, je lui ai annoncé fièrement qu'en plus de mon master en Clinical Tropical Medicine, pour lequel j'avais été envoyé en Angleterre, j'avais passé le diplôme de Tropical Medicine and Hygiene. Je m'attendais donc à recevoir les compliments d'usage, mais sa réponse a refroidi mon enthousiasme. Il m'a annoncé qu'il avait beaucoup de difficulté à trouver un poste à me confier à mon retour à Genève, un mois et demi plus tard. Voyant mon étonnement, il a ajouté que, à ses yeux, j'étais insubordonné, et que, même si je réussissais mes examens, il avait de grands doutes quant à mes capacités à reprendre le poste que j'avais assumé jusque-là. Mais il allait y réfléchir et me tiendrait au courant. J'étais effondré en sortant de ce dîner et j'ai fondu en larmes en arrivant chez moi. J'ai réussi à me ressaisir le lendemain et à passer mes examens le surlendemain.

Au début du mois d'octobre 1986, je me suis présenté au CICR pour constater que je n'avais plus ni bureau ni poste au sein de la division médicale. Ce moment a été pour moi extrêmement difficile à vivre. Le milieu humanitaire n'est certes pas un univers de Bisounours et les ambitions personnelles y sont parfois plus fortes que tout le reste. À mon grand désarroi, c'était à mon tour d'en faire les frais. J'ai rapidement compris que mon parcours au CICR tirait à sa fin. Je me suis battu pour faire valoir mes droits, et s'est ensuivie une sorte de guerre intestine qui a duré des mois. Cette période a été pénible : je me suis senti rejeté sans raison valable, dévalorisé, alors que je venais de réussir des études fort exigeantes pour apporter une nouvelle expertise à l'organisation. J'ai été extrêmement déçu par certains de mes collègues carriéristes, qui n'avaient que très peu d'expérience sur le terrain, mais qui évoquaient avec complaisance leur participation aux diverses actions.

J'avais passionnément aimé le travail de coordonnateur qui me permettait à la fois de planifier des actions médicales dans des zones difficiles et d'aller sur place superviser le travail. J'aimais les urgences, le triage, les rapports avec les gens qui se démenaient sur le terrain, ainsi que les négociations avec les parties au conflit. Ce métier nécessitait un investissement total, et y renoncer était un véritable crève-cœur.

Pendant toute cette période d'incertitude, je ne me suis ouvert à personne des reviviscences que j'avais vécues à Londres. J'étais très pessimiste quant à mon avenir professionnel qui me semblait totalement bouché. Je n'entrevoyais aucune autre possibilité d'emploi et n'éprouvais aucune envie spécifique.

C'est alors que de nouveaux comportements et attitudes associés au TSPT se sont manifestés. J'avais perdu l'enthousiasme et la spontanéité qui avaient toujours été le moteur de ma vie. Je devenais agressif envers certaines personnes qui n'avaient aucun rapport avec mes problèmes au CICR. Je me considérais comme une charge inutile pour la société. Bref, je me dévalorisais et me reprochais d'avoir fait des erreurs dans l'exercice de mon métier, et il me semblait qu'il était dans l'ordre des choses de payer pour cela.

J'avais perdu en grande partie ma propension à aimer la vie sous toutes ses formes. Je devenais désabusé et me coupais de plus en plus du quotidien et des petites choses qui le rendent beau. Je me rendais compte que je ne m'impliquais pas plus dans ma vie familiale qu'à l'époque où je travaillais beaucoup et que j'étais très souvent absent. Bien entendu, mon attitude générale ne facilitait en rien mes relations avec Marie qui ne comprenait pas ma façon de me conduire. Je n'étais nullement suicidaire, mais je me demandais ce qui pourrait m'intéresser une fois que j'aurais perdu mon travail.

Alors que j'assistais à une réunion avec le chef des opérations et un membre des ressources humaines au sujet de mon avenir professionnel, réunion stérile comme d'habitude, nous avons appris qu'il y avait eu une attaque aux gaz dans un village du Kurdistan iranien et que le gouvernement d'Iran demandait au CICR d'intervenir. Mais la division médicale et son chef n'étaient pas disponibles pour aller mener sur place une évaluation des besoins. Le chef des opérations m'a alors demandé si je voulais partir pour Téhéran dès le lendemain. J'ai accepté sans hésitation. C'était en mars 1988.

CHAPITRE 14

Dernière mission
au Kurdistan iranien

Je suis parti dans un hélicoptère de l'armée iranienne. Après plusieurs heures de vol, notamment dans une région montagneuse sauvage et magnifique, je me suis retrouvé à Halabja, au sud du Kurdistan. La guerre avait toujours cours entre l'Iran et l'Irak. La minorité kurde n'est pas forcément la bienvenue dans les pays où elle réside, que ce soit en Turquie, en Irak ou en Iran. Cette petite ville venait d'être reconquise par les Kurdes iraniens et l'armée iranienne, mais, par représailles, les Irakiens l'avaient bombardée avec des armes chimiques. Il était dans l'intérêt de la République islamiste d'Iran de dénoncer l'utilisation de ces armes sur son territoire par ses adversaires. Nous savions qu'une partie de la population avait été victime des gaz et qu'une autre partie avait pu se réfugier dans les montagnes.

Le but d'une telle visite d'un médecin délégué du CICR n'est pas simplement de constater l'emploi des gaz et de dénombrer les victimes, mais il s'agit surtout d'évaluer si le CICR peut intervenir, et, si oui, de quelle façon, par le truchement des Sociétés de la Croix-Rouge et du Croissant-Rouge. J'étais ce jour-là accompagné d'un représentant du Croissant-Rouge iranien, une organisation bien structurée et bien équipée. Mais toute aide du CICR dépend d'une condition *sine qua non* : ses délégués doivent pouvoir tout superviser régulièrement, sans entrave. Ce qui n'était pas du tout évident compte tenu des tensions dans cette partie du Kurdistan et des conflits entre les Kurdes et l'Iran.

La scène qui nous attendait à Halabja était horrible. Des milliers de morts gisaient par terre. La plupart étaient des civils – femmes, enfants et vieillards au visage déformé par les douleurs causées par le sarin ou le gaz moutarde. De grandes souffrances avaient précédé leur mort ; en témoignaient les corps recroquevillés des victimes, leurs yeux exorbités et le rictus atroce. Et que dire des enfants ? Il y en avait des centaines. La vision de ces petits êtres inoffensifs, aux yeux éteints et aux lèvres bleues, était insoutenable. Certains étaient morts seuls en souffrant le martyre, d'autres, à proximité d'adultes. Halabja était plongée dans un silence pesant, troublé seulement par le bourdonnement des hélicoptères et par de rares paroles qui échappaient parfois aux soldats et aux quelques civils présents à mes côtés. Les échoppes étaient pour la plupart fermées par des rideaux de fer. Les animaux étaient morts eux aussi et une odeur pestilentielle régnait dans cette ville aux rues escarpées.

Une impression désespérante de déjà-vu m'a envahi. Comme à Sabra et à Chatila, j'ai d'abord espéré trouver des survivants, mais j'ai très vite compris que ce ne serait pas le cas. J'ai marché dans les rues et les ruelles, habité par un total sentiment d'inutilité. À quoi sert un médecin quand tout le monde est mort ? Une fois de plus, j'étais habité par l'incompréhension devant la barbarie humaine. Je résistais à l'envie de vomir, de crier, de hurler que tout cela était parfaitement anormal, dégueulasse, hideux. Et je continuais de converser avec des interlocuteurs qui faisaient eux aussi leur travail, obéissant à des ordres et poursuivant des objectifs différents des miens.

En marchant au milieu des corps, j'ai demandé à parler aux habitants qui avaient eu le temps de fuir dans les montagnes avant les bombardements. Je voulais déterminer avec eux la nature de l'aide que le CICR pourrait leur apporter. Ils avaient fui, mais s'étaient regroupés non loin du lieu où nous nous trouvions. Pour des raisons «de sécurité», les militaires ont sèchement refusé ma requête. J'ai essayé de négocier avec eux, de leur expliquer mon point de vue, de les convaincre, en vain : il y avait bel et bien de la glace dans cette fournaise. Deux mondes s'affrontaient et je savais bien que le combat n'en valait pas la peine. On ne pourrait mener aucune action auprès de ces civils inatteignables. Une fois de plus, j'avais perdu la partie.

Par entêtement, j'ai poursuivi les palabres pendant une bonne heure. À la fin, à bout d'arguments, j'ai dit que je voulais rentrer à Téhéran. L'officier marchait en silence à mes côtés, avec les soldats et le représentant du Croissant-Rouge iranien. Leur silence se juxtaposait à celui, de plomb, qui régnait tout autour. Une dernière fois, j'ai regardé tous ces corps qui gisaient par terre, partout. L'officier a donné ses ordres aux pilotes et m'a longuement serré la main. J'ai pu brièvement percevoir dans ses yeux le désespoir de n'avoir pu m'accorder ce que je lui demandais. Les pales de l'hélicoptère ont commencé à tourner, soulevant des nuages de poussière sur la ville morte. Je me suis hissé à bord.

Pendant le voyage de retour, je n'ai pas remarqué la beauté des montagnes. Je suffoquais, parce que le soleil cognait très fort. Le bruit assourdissant du rotor m'empêchait de parler avec les militaires, muets eux aussi. De toute façon, que pouvions-nous dire ? Chacun tournait et retournait dans sa tête les images de cette journée. Pour ma part, j'essayais tant bien que mal de les chasser en pensant aux vivants : mon épouse, mes enfants, mes amis, mes parents, mes sœurs… Je remplaçais en esprit les chiens morts par ma propre chienne, Pepsi, qui m'attendait à la maison. Mais le souvenir des corps meurtris et grimaçants effaçait bien vite ces visions heureuses de ma vie en Suisse.

Une fois à Téhéran, il m'a fallu affronter les autorités pour leur expliquer que, selon les critères d'intervention du CICR, je ne pouvais leur accorder la moindre assistance sans contrôle garanti. Je savais que les autorités savaient déjà fort bien tout cela, puisque, pour elles, le but de l'opération n'était pas de recevoir de l'aide, mais de s'assurer qu'un représentant du CICR avait bel et bien constaté l'utilisation de gaz de combat par l'ennemi.

J'étais terriblement déçu de n'avoir pu dénouer la situation à Halabja : nous aurions pu faire quelque chose pour les survivants de ces attaques. Plus tard, j'ai décrit au chef de délégation ce que j'avais constaté. Il me restait tout de même un mince espoir : convaincre les autorités de nous donner accès aux Kurdes déplacés. Malheureusement, après nous avoir écoutés poliment, celles-ci ont opposé un refus net et tranchant à nos propositions.

Dans l'avion qui me ramenait à Genève, j'ai commencé à prendre la mesure de l'énormité que je venais de vivre. Mais on ne pleure pas quand on est un médecin-chirurgien, un spécialiste reconnu des gaz, un délégué du CICR doté d'une grande expérience. Lorsque l'avion a atterri, j'étais de nouveau blindé : je m'en allais retrouver le monde des vivants. Mais, à l'intérieur, j'étais cassé, broyé, pulvérisé.

Cela dit, la mission n'était pas tout à fait terminée : le bilan permettrait peut-être aux décideurs, au plus haut niveau, de trouver une façon miraculeuse de débloquer la situation. Mais je n'y croyais pas, je n'y croyais plus.

Ce fut ma dernière mission sur le terrain pour le compte du CICR. Après d'âpres négociations, j'ai été contraint de démissionner quelques mois plus tard. J'ai quitté le monde de la Croix-Rouge à la fin de juillet 1988, puisqu'il ne m'était plus possible d'y poursuivre ma carrière. La déception que m'inspiraient certaines personnes et certaines méthodes avait pris le pas sur tout. Aujourd'hui, en dépit de cette déception qui subsiste, j'ai réappris à voir les qualités de cette organisation.

Force est toutefois de constater que ces événements décevants m'ont peut-être sauvé la vie. De moi-même, aurais-je jamais eu la force de m'éloigner de ce qui me faisait certes vibrer, mais terriblement souffrir aussi? J'étais profondément meurtri et le TSPT m'empêchait de vivre une vie normale. Aurais-je pu continuer à être le témoin silencieux de la misère du monde? Aurais-je eu la force de continuer à encaisser les viols, les massacres, les famines, les conflits? M'éloigner de ce travail m'a donné une immense chance: celle de réinventer ma vie et de rebondir.

CHAPITRE 15

Nouveaux projets, nouvelle vie... et des visages qui défilent

Le hasard fait parfois bien les choses. En juin 1988, alors que j'étais en transition sur le plan professionnel, j'ai rencontré une infirmière qui était au Sud-Liban lors de la neutralisation de l'hôpital (voir le chapitre 10). Nous avions vécu cette histoire ensemble pour le compte du CICR et en étions sortis vivants, ce qui crée des liens, forcément. Elle était au courant de mes difficultés et m'a demandé ce que j'avais envie de faire. J'avais alors établi des contacts avec une organisation onusienne, mais, pour toutes sortes de raisons, je n'étais pas tout à fait certain de vouloir y œuvrer. Cette infirmière m'a dit qu'elle travaillait dans une clinique, sise dans de fort beaux locaux, où l'on s'occupait de médecine douce. On était d'ailleurs à la recherche d'un médecin généraliste. Je n'avais alors aucune idée de ce qu'était la « médecine douce » !

Je ne sais toujours pas ce qui m'a poussé à lui répondre que j'étais intéressé à visiter cette clinique. Elle en a été étonnée, car j'avais toujours clamé que je ne voulais pas pratiquer la médecine générale. En réalité, j'étais simplement curieux de savoir en quoi consistait cette fameuse « médecine douce » et je n'avais aucune idée derrière la tête. Quelques jours plus tard, je me suis rendu dans les locaux la clinique Vitamed, qui étaient effectivement très accueillants. J'ai rencontré le directeur et propriétaire de la clinique, et, après avoir discuté avec lui, j'ai accepté le poste de médecin généraliste, à la condition que je puisse pratiquer la médecine à ma manière.

Après plusieurs années passées à exercer dans l'urgence, je ressentais le besoin profond d'accorder du temps aux patients que j'allais rencontrer. Bien souvent, les malades que je traitais pour le compte du CICR ne parlaient pas la même langue que moi, ce qui limitait beaucoup les échanges humains ; j'avais donc soif de me mettre à l'écoute des personnes que je traiterais. N'ayant jamais été un fanatique des médicaments chimiques, j'ai décidé par la même occasion de m'en passer, dans la mesure du possible, et de recourir de préférence à des moyens thérapeutiques moins agressifs et plus sûrs. C'est ainsi que je me suis lancé dans l'étude des oligo-éléments, des vitamines et de la phytothérapie.

Au début d'août 1988, le propriétaire de la clinique et moi avons décidé, d'un commun accord, de fonder une clinique antistress, ce qui était très novateur à l'époque. Je serais le directeur médical de cet établissement qui serait en réalité un grand cabinet où pratiqueraient un ostéopathe, une nutritionniste, une psychologue, une réflexologue et une spécialiste du drainage lymphatique. À titre de médecin généraliste, je consacrerais, comme je l'avais souhaité, 50 minutes par consultation à chacun de mes patients.

Mes collègues et moi pratiquions l'ozonothérapie et l'oxygénothérapie, et je travaillais beaucoup avec les oligo-éléments, les vitamines et les huiles essentielles. Nous avions décidé de pratiquer une médecine actuellement qualifiée d'«intégrative», où le patient est considéré comme une personne à part entière. On y aborde les maux sur le plan global de la personne, dans ses dimensions physique, psychique, sociale et spirituelle. C'est donc le patient qui décide, en quelque sorte, de la façon dont il désire être traité, appuyé par les explications de l'équipe qui l'entoure. Le défi était grand et m'a immédiatement passionné.

D'entrée de jeu, notre démarche a eu du succès, car beaucoup de gens, insatisfaits d'être traités de façon expéditive et de se voir prescrire des médicaments sans savoir à quoi cela leur servait, étaient à la recherche d'une écoute de qualité. Nous essayions d'accompagner nos patients vers la compréhension de ce que leur corps leur disait à travers les maux dont ils souffraient, plutôt que de tenter de traiter ces maux sans tarder. Bien entendu, si un traitement s'imposait afin d'aider le patient à surmonter une phase aiguë, nous le faisions, mais tout en nous donnant le temps de rechercher la signification de ces maux. Je n'aurais pas voulu pratiquer la médecine générale d'une autre façon.

Il va sans dire que nos pratiques ne faisaient pas l'unanimité dans le milieu médical. En dépit de l'opposition que nous devions parfois affronter, j'avais la conviction d'avoir choisi la bonne voie, soutenu en cela par mes patients et par mes nouveaux collègues. C'est ainsi que, par plages de 50 minutes, je découvrais progressivement, grâce aux questions que je posais à mes patients et à leurs réponses, qu'en amont des maux se logeaient très souvent des émotions mal vécues, voire non vécues… Cette découverte a grandement servi à modifier ma conception de la médecine et ma façon de la pratiquer. De plus, je constatais avec plaisir et étonnement que mes nouvelles activités reléguaient au second plan les déboires de mes derniers mois au CICR. Sans le savoir, je m'étais forgé un nouvel avenir et je ne m'en portais pas plus mal, loin de là !

À peine un an après m'avoir engagé à la clinique, le propriétaire m'a proposé de la racheter. Mon premier réflexe a été de refuser, car je n'avais aucune envie de me mettre sur le dos une telle charge financière, mais, après mûre réflexion, je m'y suis résolu. C'est ainsi que, presque malgré moi, je suis devenu propriétaire de cette clinique, sans savoir comment gérer une telle entreprise. Cela aurait dû me causer des soucis, mais non ; je me disais que le plus important était de continuer à donner des soins de qualité.

Entre-temps, j'avais coupé tout contact avec mes anciens collègues du CICR, allant même jusqu'à refuser d'écouter ou de lire les nouvelles traitant des actions auxquelles j'avais participé. Je désirais tirer un trait sur cette partie de ma vie pour me consacrer à mon nouveau projet et retrouver l'enthousiasme qui m'animait auparavant. Les reviviscences ne se manifestaient plus, fort heureusement. Je me noyais littéralement dans le travail, recevant jusqu'à 12 patients par jour, cinq jours par semaine. Le week-end était consacré aux études ou aux tâches administratives. Ma nature passionnée reprenait le dessus et ce nouveau défi m'enthousiasmait.

En mars 1989, l'Ordre de Malte, organisation qui s'occupe des lépreux dans le monde, avec laquelle j'avais travaillé sur la frontière cambodgienne quelques années auparavant (voir le chapitre 4), m'a demandé de coordonner bénévolement une action contre la lèpre au Cambodge. J'ai accepté cette mission qui nécessitait que je me rende deux ou trois fois par année à Phnom Penh, mais aussi dans tout le pays, pour mettre sur pied ce programme et en effectuer le suivi.

Cette mission était passionnante et l'enjeu était de taille dans ce pays qui avait beaucoup de difficulté à se relever après les deux millions de morts attribuables au régime des Khmers rouges et la corruption du régime mis en place. Afin de proposer aux autorités du pays un programme fiable, capable de traiter efficacement les lépreux tout en tenant compte de la réalité du pays, il me fallait mettre d'accord la branche hospitalière allemande et la branche française de l'Ordre de Malte, dotées toutes deux d'experts médicaux de la lèpre fort compétents sur le plan théorique, mais dénués d'expertise de terrain.

Parler de cette future mission et, surtout, évoquer mon départ sur le terrain provoquait en moi une tension certaine. Je l'attribuais à mon désir de réussite, au fait que je devais interrompre pendant quelques semaines mes activités à la clinique, à mes inquiétudes financières… Je savais bien, au fond, que toutes ces raisons n'avaient rien à voir avec mon malaise, mais je continuais à les rendre responsables de ce que je ressentais. Je ne m'ouvrais à personne de mes craintes et je donnais parfaitement le change aux responsables de l'Ordre de Malte, à ma famille et à mes amis.

Un soir, attablé avec un ami dans un hôtel de Genève, j'ai évoqué mon départ imminent pour le Cambodge. Sans que je puisse les retenir, les larmes me sont montées aux yeux et se sont mises à rouler sur mes joues. J'ai quitté la table brusquement, et mon ami, voyant ma détresse, m'a proposé de partir. J'ai accepté. Je me sentais profondément mal en point, sur le bord de l'explosion ou de l'implosion. Au sortir de l'hôtel, les visages d'enfants que j'avais triés ou soignés se sont mis à défiler devant mes yeux. Je pleurais, râlais, criais. J'avais mal jusque dans les entrailles. J'étais plein de honte, de rage et de désespoir tout à la fois. Mon ami ne savait que faire et m'a tenu le bras pendant que nous traversions un pont à pied. Je le sentais à mes côtés, mais ne pouvais lui dire ce que je voyais – en tout cas, pas d'une manière intelligible.

Ces reviviscences ont duré une heure, puis je me suis calmé et j'ai pu reprendre mes esprits. J'ai expliqué à mon ami que je me sentais responsable de la mort de tous ces enfants, que j'étais lamentable d'avoir été si peu efficace, que je détestais la guerre et tous ceux qui y participaient, que mon travail avait été creux et sans objet, en bref, que j'étais d'une rare nullité. Bien entendu, il a tenté de me rassurer, de me convaincre que je n'étais en rien responsable de la mauvaise marche du monde, et que j'avais fait un travail admirable compte tenu de la situation. Je l'entendais, mais je gardais en moi, profondément ancré, un sentiment d'insignifiance et d'incompétence.

Je suis rentré à la maison et j'ai parlé à ma femme de ce qui m'était arrivé. Elle m'a répété les mots de mon ami, à peu de chose près. Que dire d'autre ? Mais cela est resté sans effet sur cette voix que j'entendais dans ma tête et qui me disait : « Tu es un imposteur ! »

Je suis parti au Cambodge, tendu et inquiet, me demandant si je n'allais pas craquer à mon arrivée ou une fois sur le terrain, lors de ma visite des villages khmers où vivaient des lépreux. Il n'en fut rien, bien au contraire. Plus j'étais dans l'action, plus je me détendais et effectuais ma mission sans souci ni entrave. J'étais sans émotion, ayant le recul nécessaire pour faire preuve à la fois d'efficacité et de professionnalisme, tout en ressentant une certaine empathie pour ceux que je rencontrais, qui avaient des conditions de vie précaires et difficiles.

J'ai vécu au Cambodge un moment qui m'a profondément touché. Dès mon arrivée là-bas, on m'a annoncé que le vice-ministre de la Santé désirait me rencontrer, ce que j'ai mis sur le compte de cette nouvelle mission. Mais d'autres réunions, à un plus bas niveau de ce ministère, étaient déjà à l'agenda ; je ne comprenais donc pas la raison de cette rencontre supplémentaire, mais je m'en réjouissais, me disant que cela ne pourrait que renforcer l'action de l'Ordre de Malte dans le pays. Quelle n'a pas été ma surprise, lorsque je me suis présenté au ministère, de reconnaître un médic khmer avec qui j'avais vécu des moments si difficiles sous les bombardements, dans un camp de réfugiés de la frontière thaïlandaise, quelques années auparavant ! Nous avions alors beaucoup échangé. Il m'avait, entre autres, donné des informations importantes pour aider certaines personnes dont la sécurité n'était pas assurée. Grâce à lui, le CICR avait pu intervenir pour que ces personnes bénéficient de meilleures conditions de vie et, surtout, d'une plus grande sécurité.

Cet ancien médic était devenu vice-ministre. Il m'a salué devant toute son équipe, très respectueusement, puis nous sommes tombés dans les bras l'un de l'autre. Il m'a ensuite conduit dans son bureau, où nous avons pu discuter et nous rappeler des souvenirs. Il a exprimé sa reconnaissance envers le CICR, mais aussi envers moi, pour ce que nous avions accompli au cours des années qu'il avait passées dans le camp, sur la frontière. Ce moment fut pour moi chargé d'émotions positives. Nulle trace de l'angoisse qui me nouait le ventre et me faisait perdre tout contrôle lors des reviviscences. En sortant de cet entretien, je me suis demandé pourquoi les choses s'étaient si bien passées : nous avions pourtant évoqué des jours difficiles. C'est ainsi que j'ai commencé à comprendre la différence entre ce qu'on appelle aujourd'hui des *flashbacks* et des souvenirs que l'on se rappelle volontairement.

Symptôme révélateur du TSPT, le *flashback* survient de façon soudaine, involontaire, brutale, sans aucun signe annonciateur. Il pète littéralement à la gueule de la personne qui l'éprouve. Par le *flashback* remontent à la surface des éléments ou des scènes entières de vécus traumatiques. Il peut survenir à la suite d'un stimulus externe ou interne, directement ou indirectement lié au traumatisme. Le rapport entre le stimulus de la vie réelle et le *flashback* peut parfois être difficile à établir. Par exemple, le pot d'échappement qui pétarade peut évoquer une fusillade; ou une simple odeur, ancrage très puissant, peut suffire. Le *flashback* constitue en fait une réponse inconsciente à un stimulus directement ou indirectement lié au traumatisme. Il ne faut pas le confondre avec ce qui survient lorsque, sciemment, on essaie de faire remonter à la surface un événement en utilisant notre mémoire, même si le souvenir est désagréable ou violent.

Une année plus tard, j'ai vécu un autre épisode de *flashback* lors de vacances aux Maldives dans un merveilleux hôtel tenu par un ami d'enfance, le même que j'étais allé visiter en Rhodésie-Zimbabwe. Tout se passait très bien, je faisais de la plongée sous-marine et me reposais tout en profitant de la plage, du soleil et surtout de la présence de cet ami que je n'avais pas vu depuis quatre ans.

Un soir, l'équipe chargée de l'animation a présenté un spectacle dans lequel j'ai vu flotter un rideau très léger. Subitement, des visages de blessés de guerre me revenaient. Malaise, sentiment d'oppression, chaleur intense… J'ai aussitôt couru vers la plage, heureusement déserte à cette heure, afin de pouvoir affronter mes souvenirs, râler et hoqueter sans témoin.

Les visages remontaient un par un et me scrutaient sans émettre aucun jugement ni aucun grief à mon égard. Ces visages étaient nouveaux. D'ailleurs, je n'ai jamais vu deux fois les mêmes visages dans mes *flashbacks*, comme si le fait de les revoir une fois me permettait de les effacer à tout jamais de mon vécu. Ils me regardaient fixement, puis s'en allaient. Seuls leurs yeux et leurs traits étaient clairement visibles. Leur souffrance transparaissait, ou plutôt se devinait. Et le défilé continuait, continuait, continuait… De nouveau, le vide immense dans l'abdomen, le trou sans fond dans la poitrine, l'impression de n'être qu'une immense plaie ouverte de la gorge au bas du ventre. Des pensées dominantes : je suis nul, inutile, je n'ai pas réussi à les sauver, je ne suis qu'un *fake*, un imposteur ! Se mêlait à cela le désir de mourir, de faire cesser tout cela au plus vite, de disparaître une bonne fois pour toutes de la surface de cette terre.

L'épisode a duré une heure environ. Comme d'habitude, il m'a laissé totalement épuisé, vide, hagard, le mot *fake* imprimé dans le cerveau. Je regardais l'océan, à mes pieds, plein du désir d'aller m'y perdre. Mon ami, qui m'avait rejoint sur la plage tout au début de l'épisode, a bien sûr essayé de me calmer, sans comprendre ce qui m'arrivait. Lui aussi m'a dit que je n'étais pas nul, que ma tâche avait été extrêmement difficile, que je ne pouvais sauver toutes ces personnes, que je n'étais pas responsable de toutes ces morts, que j'étais un chic type, que, non, il n'était pas question de disparaître, et que je serais heureux, car j'avais tout pour y parvenir.

J'ai marché sur le sable fin en écoutant le bruit des vagues. Peu à peu, le vide dans mon abdomen s'est comblé, la tension a diminué, les voix dans ma tête se sont tues. Je suis revenu au moment présent, plein de l'espoir que cet épisode ait été le dernier, mais convaincu, au fond de moi, qu'il n'en serait rien. Je savais aussi, intuitivement, que ces visages que j'avais vus défiler s'étaient effacés pour de bon de ma mémoire, comme si j'avais vécu un nettoyage en profondeur. Combien de fois encore allais-je subir cette torture ?

Je suis allé me coucher. Le lendemain matin, j'étais presque surpris de me sentir dispos, prêt à reprendre goût à la vie. À mon retour à Genève, j'ai commencé à me poser de vraies questions, sans tenter de fuir les réponses.

CHAPITRE 16

Souffrir du TSPT...
et en guérir

Au printemps 1989, j'ai compris que je ne pouvais pas continuer ainsi. J'étais en train de bousiller ma vie, de détruire notre couple, sans compter que je n'assumais pas très bien mon rôle de père auprès de mes enfants. Je me rendais compte que je refusais tout amour de la part des autres, que je baignais dans le cynisme et le pessimisme. Certes, je plaisantais, mais le côté jouisseur de la vie, très ancré en moi depuis toujours, avait disparu au profit d'une soif d'excès à tous les niveaux. Dans le cadre de mon travail quotidien, j'écoutais mes patients et respectais leurs souffrances, mais je ne le faisais pas pour moi. Je fonctionnais dans ma vie privée, mais me sentais coupé d'une partie de ma personne.

J'ai commencé à prendre des vitamines, des oligo-éléments et du magnésium, ce qui m'a fait du bien. J'avais vérifié l'importance de cette approche auprès de mes patients stressés, mais, bien sûr, cela ne résolvait pas les problèmes de fond. Sans en parler autour de moi, j'ai commencé à me renseigner sur les troubles que je ressentais.

Au fil de mes lectures, pendant les mois qui ont suivi, j'ai pu enfin mettre un nom sur ce dont je souffrais : cela se rapprochait beaucoup du trouble de stress post-traumatique. Le TSPT est une découverte récente dans l'histoire de la médecine. En effet, ce n'est qu'en 1980 que le DSM-III (*Diagnostic and Statistical Manual of Mental Disorders*), le manuel de la classification des troubles mentaux aux États-Unis, l'a fait apparaître dans les troubles anxieux. En 1992, l'Organisation mondiale de la santé l'a à son tour intégré comme un trouble dans sa propre classification CIM-10. En 1989, la documentation était plutôt maigre à ce sujet ou relativement aux traitements adéquats. Le seul élément connu et admis était que des vétérans américains de la guerre du Vietnam souffraient de cette pathologie et que les traitements qu'on leur prodiguait ne les sortaient nullement de leurs souffrances, bien au contraire.

Après des recherches et des lectures en profondeur, j'ai compris que je souffrais peut-être de cette pathologie moi aussi, depuis un certain temps déjà. Quels symptômes pouvais-je observer chez moi ? En en établissant la liste, je me suis inquiété.

1. J'avais été exposé à des événements traumatiques importants, de façon directe et répétée (triages chirurgicaux, menaces de mort, vie sous les bombardements et dans les abris, exposition à des charniers, etc.), et de façon indirecte (chirurgie de guerre, récits de viols et de tortures, etc.).

2. J'avais des reviviscences : *flashbacks* et souvenirs répétitifs de scènes vécues (charniers, triages), accompagnés d'un sentiment de grande détresse, de grande instabilité quand certaines odeurs de la vie quotidienne ravivaient en moi certaines situations.

3. Je fuyais toutes les discussions et les images auxquelles je pouvais être exposé par la télévision ou les films de guerre, par exemple, ce qu'on appelle, en termes médicaux, le «syndrome d'évitement persistant».

4. Je présentais des signes d'émoussement ou d'engourdissement émotionnel qui n'étaient pas présents dans ma vie auparavant, avec notamment :

- des pensées négatives persistantes avec un sentiment d'avenir «bouché» pour moi ou pour le monde. J'étais très pessimiste et cynique par rapport à l'amour, je ne pensais plus à la beauté de l'être humain ni au fait qu'il puisse émaner de lui autre chose que la destruction et la négativité. Bien entendu, je m'incluais dans ces jugements;
- des reproches constants et de la culpabilité par rapport au fait que je n'avais pas été à la hauteur dans les actions menées pour le compte du CICR;
- un sentiment de détachement du monde;
- une très nette restriction de l'affect, qui se manifestait par une grande difficulté à m'accorder le droit d'éprouver de l'affection pour les êtres qui m'entouraient.

5. Je mettais souvent ma vie en danger sous prétexte que je n'avais pas peur de mourir, que ce soit lors de certaines missions pour le CICR (marcher sur un terrain miné, provoquer un homme armé, etc.) ou dans ma vie privée (vitesse excessive sur les routes, agressivité verbale, tabagie, excès d'alcool).

6. Je souffrais d'une «tendinite persistante» au bras droit, qui avait été à l'origine de mon arrêt de la pratique chirurgicale.

À la lumière de tous ces symptômes, il était clair que je souffrais de TSPT. Le diagnostic était posé, soit, mais quel traitement devait-on prescrire au malade?

J'ai décidé, non sans hésitation, de suivre les recommandations de l'époque, c'est-à-dire d'entreprendre une thérapie cognitivo-comportementale (TCC). Un peu à contrecœur, j'ai consulté un psychiatre. Il n'était pas facile pour moi de faire cette démarche, car je n'ai jamais beaucoup apprécié cette branche de la médecine. J'avais dévoré les livres de Freud à l'âge de 20 ans, mais je les avais trouvés plutôt incohérents et pas très scientifiques. Leur auteur m'apparaissait comme un être malade, très malade psychiquement. Bien entendu, je n'avais que 20 ans, mais la première perception est difficile à changer. À la suite de ces lectures, je m'étais lancé dans les écrits de Jung, que je trouvais nettement plus équilibré que son collègue Freud, et certainement plus ouvert. J'avais beaucoup apprécié son abord de l'être humain en relation avec l'univers, mais n'avais pas tout compris. Mes études de médecine m'avaient convaincu que la psychiatrie n'était pas une véritable science, et mon stage en psychiatrie, à Genève, m'avait définitivement désintéressé de cette approche. Mais que faire lorsque vous souffrez d'une maladie qui n'est pas physiquement débilitante ? Vers qui se tourner une fois qu'on a dit « à bas les psys » ?

Lors de la première consultation, après avoir brièvement exposé les raisons qui m'amenaient dans ce cabinet, je me suis vite rendu compte que le psychiatre n'avait aucune idée de ce qu'était le TSPT. C'était à prévoir : les connaissances sur le sujet en étaient à leurs balbutiements. Au lieu de faire preuve d'une saine humilité et d'admettre sa méconnaissance du problème, il m'a proposé une démarche de travail sur moi-même afin de déprogrammer mon cerveau des scories liées à mon passé traumatique. Mais j'ai bientôt compris que cette approche ne faisait que renforcer mes défenses et me pousser à exercer davantage de contrôle. Intuitivement, je savais que la voie à suivre allait dans le sens opposé. Je suis certainement tombé sur un psychiatre avec qui l'entente, et par conséquent le travail, était impossible, mais il est évident que cette démarche ne m'a fait aucun bien, et m'a même plutôt nui. L'abord thérapeutique se faisait sans aucune empathie et le travail était purement cérébral. Nous n'abordions absolument pas les émotions. J'ai essayé de convaincre ce médecin que le raisonnement ne me mènerait à rien, que la logique et le rationnel étaient inutiles dans mon cas, mais, persuadé de la justesse de sa méthode, il persistait à soutenir le contraire. Au bout de 10 séances, j'ai abandonné cette parodie de traitement et j'ai décidé de me tourner dans une autre direction.

Alors que j'écris ces lignes, plus de 25 années plus tard, je réalise que je disposais d'un atout majeur: j'avais la chance d'être médecin, de savoir assez bien ce qui me convenait et ce qui ne me convenait pas, de pouvoir refuser de prendre des somnifères ou tout autre traitement médicamenteux, sachant que celui-ci ne ferait que m'assommer et m'empêcher de faire les bons choix pour moi-même. Je plains ceux qui sont à la merci de l'ignorance et de la fatuité de certains thérapeutes qui se proclament hommes ou femmes de science, mais qui conduisent leurs traitements selon des principes qui n'ont jamais été prouvés scientifiquement. Ces traitements peuvent se révéler inefficaces, voire dangereux pour celles et ceux qui souffrent notamment de stress post-traumatique. Par acquit de conscience, j'ai tout de même fait une seconde tentative avec un autre psychiatre, mais l'essai n'a pas été plus concluant que le premier.

Ayant résidé dans des pays où l'on met en pratique la philosophie et l'approche bouddhistes, j'ai toujours été attiré par ces notions. Je me suis donc tourné vers la méditation et la relaxation, dans l'espoir que ces pratiques m'apporteraient un certain soulagement. L'aptitude à vivre le moment présent, cette qualité que j'avais remarquée chez les réfugiés, m'avait aussi profondément marqué. Il m'a semblé intéressant de creuser le sujet. Je me suis donc mis à la méditation, mais sans pouvoir y consacrer beaucoup de temps, puisque je travaillais de longues heures. Je ne souhaitais pas pratiquer le yoga, qui ne m'attirait guère, mais j'ai rencontré une personne qui m'a grandement aidé en m'initiant à cette discipline. Certes, toutes ces approches me faisaient du bien quand je les pratiquais, mais elles n'ont jamais résorbé mes symptômes. Lorsqu'on parvient à vivre le moment présent au lieu de ruminer le passé, on se sent mieux, mais cela n'empêche pas le passé de surgir au moment où l'on s'y attend le moins, à la suite d'un stimulus extérieur ou intérieur.

En parallèle, je m'adonnais aux diverses techniques que nous proposions au sein de notre clinique, notamment un programme nutritionnel très innovant, le drainage lymphatique et la réflexologie. Je me suis aussi aventuré du côté de la massothérapie, de l'homéopathie, des fleurs de Bach et de l'aromathérapie, mais rien n'a pu me tirer de ma souffrance. Ces approches m'ont tout de même aidé de deux manières : d'une part, je découvrais tout un monde qui m'était inconnu, ce qui me permettait, après avoir étudié telle ou telle thérapie, d'y diriger certains de mes patients ; d'autre part, le fait de rechercher activement un traitement à mes souffrances me permettait de revenir à moi-même, ce qui était un progrès fort important dans mon cas.

Toutes ces tentatives et ces recherches m'ont permis de comprendre qu'aucun thérapeute ne pourrait vraiment m'aider si j'attendais de lui le remède miracle ou l'approche qui me guérirait. J'ai aussi pris conscience, en accompagnant mes patients, que j'étais le seul à pouvoir trouver ce qui me conviendrait pour m'acheminer vers la guérison. Car je ne voulais pas simplement parvenir à «fonctionner» avec mon mal-être, aidé en cela par la prise de médicaments chimiques ou de substances dites plus naturelles: j'étais décidé à guérir du TSPT.

Je ne le dirai jamais assez: le travail d'accompagnement auprès de mes patients a été capital. Par leurs réponses et les attitudes qu'ils adoptaient pour se procurer un mieux-être physique et psychique, ils m'ont conduit de plus en plus en amont des maux. Je me suis rendu compte que, très souvent, pour ne pas dire toujours, ils réprimaient des émotions mal vécues, ou non vécues, liées à un événement auquel ils avaient été exposés plusieurs mois ou années auparavant. Lorsqu'ils parvenaient finalement à exprimer ces émotions bloquées, ils guérissaient très vite des maux dont ils souffraient, quels qu'ils soient. Cette façon de voir m'éloignait de la médecine classique qui, trop souvent, cherche uniquement à traiter les pathologies, et me conduisait vers une approche intégrative où l'on cherche à comprendre ce que le corps, qui est l'ami et non l'ennemi de la personne souffrante, cherche à lui dire pour qu'elle puisse agir et guérir.

Cela a été un grand choc pour moi: mes études médicales m'avaient enseigné à observer la maladie, à y accoler un nom plus ou moins compliqué, puis à lutter contre elle, mais je n'avais pas appris à considérer le patient comme un être à part entière, parfaitement capable de trouver par lui-même les moyens de guérir. En l'an 2000, j'ai écrit un premier livre, *Les Tremblements intérieurs*, pour rendre compte de mes observations. Bien sûr, ces observations, je les ai appliquées à ma propre personne.

J'étais bourré d'émotions que je n'avais absolument pas vécues durant ma vie d'enfant, pas plus que dans ma vie d'adulte : colère et tristesse envers tout ce que j'avais vécu dans le cadre de mon travail au CICR, colère contre le CICR lui-même pour la façon injuste dont j'estimais avoir été traité, colère contre les institutions médicales qui, maintenant que j'appliquais des méthodes différentes à la clinique Vitamed, faisaient tout pour me casser dans l'exercice de mon art... Je ne savais que faire de toute cette colère accumulée au fond de moi. Ma seule réponse consistait à provoquer les autres, à me battre, à les affronter. J'ai réalisé qu'en adoptant cette attitude, je perpétuais le combat du pot de terre contre le pot de métal. J'allais perdre beaucoup d'énergie, d'argent et de temps. J'ai donc plutôt décidé de me battre pour moi.

Las de porter tant de rage au fond de moi, je suis un jour allé dans la forêt pour crier et taper contre des souches. J'y suis resté deux longues heures et j'en suis revenu complètement épuisé, mais étonnamment détendu. Ce fut une révélation et je me suis empressé de suggérer l'expérience à des patients qui, tout comme moi, ne savaient que faire de leur colère. Ceux qui parvenaient à extérioriser leurs émotions revenaient souvent à la consultation suivante en se portant beaucoup mieux, « comme par magie ». Mais beaucoup restaient scotchés avec leurs émotions et ne réussissaient pas à les vivre, ou n'y parvenaient que partiellement.

Au cours d'une discussion sur le sujet, deux amis et moi avons eu l'idée de concevoir des stages de trois jours dans la nature afin d'accompagner des personnes à vivre leurs émotions de joie, de tristesse et de colère. C'est ainsi qu'est né OGE, à la fin de 1989.

OGE est un mot inversé qui signifie « à l'envers de l'ego ». L'ego, que l'on peut aussi appeler le mental, le petit vélo ou le hamster, est ce qui nous coupe :

- du moment présent. Il nous met alors soit dans le futur, avec son cortège d'appréhensions, de peurs, d'anxiétés, de phobies et de pertes de confiance en soi, soit dans le passé avec les regrets, les remords et les culpabilités ;
- de la reconnaissance, du ressenti et de l'expression de nos émotions de joie, de tristesse et de colère ;
- de la personne que nous sommes, de notre intuition, de notre savoir inné, de notre créativité et de notre noyau fondamental.

Le concept OGE est la pierre angulaire de toute la démarche élaborée à cette époque et que j'ai proposée par la suite à des milliers de personnes désireuses de soulager leur détresse. Le respect de soi et l'amour en sont à la fois le véhicule et la finalité.

Au cours d'un des premiers stages que nous avons organisés, je suis resté seul un moment dans la forêt. C'est alors qu'un *flashback* m'a littéralement explosé à la figure. J'ai revu avec une clarté inouïe une scène au cours de laquelle j'avais dû assister, impuissant, au décès de deux enfants. Ceux-ci avaient posé le pied sur des mines antipersonnel en allant ramasser du bois dans la forêt afin de faire bouillir l'eau insalubre qui était à leur disposition dans le camp où ils vivaient. Ces enfants avaient respectivement quatre et six ans ; leurs blessures étaient trop graves pour qu'ils puissent bénéficier d'un traitement chirurgical. J'avais pris la décision de ne pas les transférer dans notre hôpital, car ils n'auraient de toute façon pas survécu au trajet qui durait une bonne heure.

Cette scène est remontée à ma mémoire d'elle-même, sans que j'en évoque le souvenir. Tout à coup, j'ai eu envie de hurler, de dégueuler la rage et la colère que je sentais bloquées dans mon ventre et qui avaient pris la forme d'une boule dure, compacte et glaciale. Je suis parvenu à crier; je n'avais encore jamais entendu un tel son sortir de ma gorge. Je me suis immobilisé, surpris par la nature de ce son et par sa force, puis j'ai réalisé que la boule n'était plus dans mon ventre, mais à la hauteur du plexus solaire.

Volontairement, je me suis replongé dans la scène, au moment où je disais aux infirmières et aux parents que nous n'évacuerions pas les enfants. Je me suis arrêté sur cette phrase et l'ai répétée, ou plutôt revécue, maintes fois. De nouveau, j'ai crié. Et j'ai recommencé, jusqu'au moment où j'ai senti que la boule n'était plus dans la poitrine mais dans la gorge. J'avais conscience qu'il me fallait l'évacuer par la bouche pour m'en libérer. J'y suis finalement parvenu, après avoir évoqué à nouveau les deux enfants. Je me suis senti plus léger, quasiment libéré; je respirais mieux. Afin de me convaincre que la détresse suscitée par cet épisode ne m'habiterait jamais plus, je me suis replongé une dernière fois dans mes souvenirs: je n'éprouvais plus rien de désagréable, hormis une immense tristesse. Je me suis laissé aller à pleurer, ce qui m'a fait de nouveau beaucoup de bien.

À la fin de cet exercice, j'avais la certitude que je venais de me faire un immense cadeau. Même si j'étais épuisé physiquement, cette fatigue était bénéfique et non le signe que quelque chose était coincé ou bloqué en moi. C'est ainsi que j'ai fait mes premiers pas sur le chemin de la guérison de mes troubles de stress post-traumatiques...

Il m'a fallu exprimer mes émotions de colère et de tristesse à de très nombreuses occasions pour y arriver. Le tout s'est échelonné sur une longue période de temps, et certains épisodes ont été fort difficiles à vivre; il n'y a pas de formule magique. Mais je remarquais que chaque fois que j'y parvenais, je me sentais mieux et pouvais par la suite me remémorer les événements difficiles sans éprouver de malaise. Certes, l'évocation de ces scènes n'était pas agréable, mais elle ne générait plus de blocage complet. Je parvenais ainsi à parler de Sabra et de Chatila sans mettre un de mes doigts devant mon nez, par exemple. Le souvenir subsistait, mais la souffrance avait disparu. La plaie vive et douloureuse avait été parée et nettoyée, et elle avait fait place à une cicatrice indolore. Je me sentais de plus en plus léger, débarrassé de ce poids immense que je portais depuis longtemps, et la culpabilité disparaissait progressivement pour faire place à une acceptation profonde de ce qui avait été vécu, sans jugement. Mon avenir me semblait moins bouché, mon cynisme était moins acéré et ma façon de concevoir les relations, moins empreinte de pessimisme et de négativité.

Lorsqu'une personne réprime une émotion, elle bloque en elle la circulation de l'énergie (puisqu'une émotion est de l'énergie pure). Ce blocage crée des tensions qui, à leur tour, provoquent une baisse de l'efficacité des défenses immunitaires, ce qui entraîne un mal-être physique ou psychique. Je constatais que lorsqu'une personne parvenait à débloquer et, par conséquent, à exprimer son émotion, tout s'inversait. Et cette personne, bien souvent, guérissait. Mais je ne comprenais pas pourquoi l'expression de la colère et de la tristesse me permettait non seulement d'aller mieux, mais aussi de « digérer » le traumatisme.

En parallèle, j'accompagnais plusieurs personnes qui avaient été victimes de traumatismes sévères : viols, attouchements, agressions, etc. Je constatais que dès qu'elles parvenaient à vivre les émotions bloquées qu'elles avaient vécues juste avant ou juste après le traumatisme, elles se portaient mieux. C'était toujours un grand bonheur d'accompagner une personne traumatisée et de voir qu'en peu de temps, notamment en exprimant sa colère, elle se libérait du fardeau avec lequel elle avait vécu de nombreuses années.

J'aime aller en Afrique et je suis devenu, depuis mon passage en Rhodésie-Zimbabwe, un grand amateur de safaris. Un jour, en Tanzanie, j'ai vu une scène assez banale lors de ce genre d'activités : une lionne avait pris en chasse un impala. Au moment où le fauve a mis la patte sur le cou de l'impala, celui-ci s'est allongé sur le sol, sans bouger. Je me suis dit que le coup avait dû être fatal. Puis, voyant plus loin une autre antilope, la lionne s'est éloignée de sa proie. C'est alors que j'ai vu l'impala se redresser, vaciller sur ses pattes, faire quelques pas chancelants, puis s'ébrouer deux ou trois fois. Il s'est ensuite mis à courir avec ardeur et a pu rejoindre la horde, à l'abri des prédateurs.

Cette scène m'a marqué. Le soir venu, sous la tente, j'ai enfin compris ce que je cherchais depuis quelques années. Tout s'est mis en place comme les pièces d'un puzzle. Ce que fait une victime de traumatisme lorsqu'elle exprime l'émotion bloquée au moment de l'événement est exactement ce qu'a fait la petite antilope, après l'attaque de la lionne, juste avant de reprendre sa course : elle s'ébroue, c'est-à-dire qu'elle se débarrasse du blocage émotionnel. Au moment de l'événement traumatique, elle n'a pu s'ébrouer, évacuer ses émotions ; or, c'est cette étape nécessaire qu'elle doit franchir pour pouvoir poursuivre sa route sans souffrance, avec légèreté.

À peu près à la même époque où je me faisais ces réflexions, en 1997, Peter A. Levine a publié son livre *Waking the Tiger: Healing Trauma*. Je n'ai toutefois découvert cet ouvrage dans sa version française qu'en 2013, dans lequel

Levine explique parfaitement bien le mécanisme du figement qui mène au TSPT.

Devant une menace, un être humain ou un animal peut avoir trois réactions : la fuite, l'agression ou le figement. Ce sont des réactions réflexes, qui ne passent pas par le cerveau ; ce ne sont pas des actes réfléchis, pensés, élaborés. Nul ne peut être blâmé ou se blâmer pour avoir réagi de telle ou telle façon réflexe.

La personne qui a le réflexe de fuir ou d'agresser à son tour se place dans l'action : elle réagit, exerce une certaine influence sur la suite des événements, et parvient souvent à exprimer sur le coup, ou peu après, ses émotions de tristesse ou de colère. Par conséquent, elle ne se sent pas parfaitement impuissante.

La personne qui se fige le fait elle aussi de façon réflexe. Elle reste prise au piège, à la merci de son agresseur ou de la situation traumatique. Elle subit les choses, incapable de répliquer. Forcément, elle éprouve de la colère, mais ne peut l'exprimer ; elle ne peut s'ébrouer comme l'impala. Elle reste là, sans bouger, sa colère bien bloquée au fond d'elle-même. C'est ainsi que se mettent en place les bases du TSPT.

Comme des milliers de soldats, de policiers, de pompiers, de gardiens de prison et de travailleurs sociaux sur la ligne de front, j'ai été pris au piège, pendant des années, à faire mon travail au CICR et à vivre, jour après jour, des situations traumatiques sans exprimer la colère et la tristesse qu'elles suscitaient en moi. J'ai accumulé une rage inépuisable et un immense chagrin qui m'ont fait souffrir de tous les symptômes que j'ai décrits dans cet ouvrage.

J'y ai mis le temps, mais j'ai fini par évacuer toute cette colère accumulée. Comme l'impala, j'ai réussi à m'ébrouer et je suis reparti à la rencontre des miens. Vivant.

Conclusion

J'ai mis plusieurs années à prendre conscience de la valeur de l'approche OGE pour traiter les événements traumatiques. Je peux dire aujourd'hui, en 2016, que je suis guéri et que je ne souffre plus de TSPT. Je n'ai plus de *flashbacks* et l'immense colère qui m'habitait a été évacuée. L'avenir ne m'apparaît plus si sombre et je suis moins critique envers le genre humain.

Certes, je n'aime pas forcément parler de ce que j'ai vécu pendant mes années au CICR. Écrire ce livre n'a pas été une sinécure, loin de là. Cela m'a obligé à revivre des moments extrêmement difficiles, mais m'a aussi permis de me rappeler de merveilleux souvenirs. Comment oublier toutes ces personnes qui, malgré les épreuves, souriaient, vivaient leurs joies, pleinement, dans le moment présent? Comment oublier la découverte de pensées et de modes de vie différents qui m'ont ouvert les yeux sur le fait qu'il existe de par le monde d'autres façons de considérer l'existence? Enfin, comment oublier cet apprentissage formidable de l'amour, cette force transcendantale qui peut changer bien des choses, même dans les pires conditions?

J'ai jugé bon d'écrire ce livre afin de démontrer qu'une personne souffrant de TSPT n'est ni faible ni perdue pour la société. Je l'ai fait aussi pour dénoncer certaines approches qui ne donnent qu'un seul espoir à ceux qui souffrent : pouvoir de nouveau « fonctionner » au quotidien...

Une personne victime de traumatisme peut vivre à nouveau, et parfaitement bien, mais il lui faut pour cela s'autoriser à ressentir et à vivre les émotions bloquées en elle lors du traumatisme. Il lui faut s'accorder de l'intérêt et du respect, et prendre le temps de s'écouter. En d'autres mots, il lui faut se donner de l'amour...

Stages OGE : « à l'envers de l'ego »

Ce livre vous a plu ?
Vous avez envie d'aller plus loin ?

Vous avez la possibilité de mettre en pratique les recommandations faites par le Dr Daniel Dufour dans son livre, lors de stages qu'il organise dans ce but précis, soit les stages OGE : « à l'envers de l'ego ».

Pour de plus amples renseignements,
vous pouvez consulter le site Internet oge.biz,
ou contacter OGE :
Tél. : + 41 79 754 81 11
Téléc. : + 41 22 840 40 91
Courriel : info@oge.biz

Table des matières

Suivez-nous sur le Web

Consultez nos sites Internet et inscrivez-vous à l'infolettre pour rester informé en tout temps de nos publications et de nos concours en ligne. Et croisez aussi vos auteurs préférés et notre équipe sur nos blogues !

EDITIONS-HOMME.COM
EDITIONS-JOUR.COM
EDITIONS-PETITHOMME.COM
EDITIONS-LAGRIFFE.COM

Achevé d'imprimer au Canada
sur papier Enviro 100 % recyclé